Lettre ouverte aux Français
qui se croient le nombril du monde

Denise Bombardier

Lettre ouverte aux Français qui se croient le nombril du monde

Albin Michel

© Éditions Albin Michel S.A., 2000
22, rue Huyghens, 75014 Paris

www.albin-michel.fr

ISBN 2-226-12046-7
ISSN 0755-1789

À la mémoire de ma mère,
Simone Bombardier,
qui aimait et la France et la polémique.

En guise de présentation

Parmi les niaiseries colportées à travers le monde sur la France, il en est une, persistante, qui suggère que celle-ci serait un paradis terrestre sans les Français qui l'habitent. Sans doute ceux qui répandent cette ineptie se sont, un jour, fait rembarrer par un Parisien énervé auquel ils demandaient leur chemin et qui leur a répondu de s'adresser à un employé de l'Office du tourisme. Ou alors, entrés par hasard dans une boutique chic, ils ont subi le dédain de vendeurs qui, payés probablement à peine plus que le Smic, les ont toisés comme des minables parce qu'ils tiquaient sur le prix d'un vêtement.

Mais l'image de la France, Dieu merci, n'est pas prisonnière des rustres et des imbéciles qui ont le privilège d'y vivre. L'attrait du pays, en dehors de son exceptionnelle géographie, repose précisément sur ses habitants, ceux d'aujourd'hui et ceux d'hier qui lui ont légué ses trésors. La France s'est construite et elle séduit grâce au savoir-faire et au savoir-vivre des Français.

J'avoue donc que j'aime la France. Je revendique cet amour et, par voie de conséquence, j'éprouve de l'affection pour vous Français au point qu'il m'arrive aussi de vous défendre devant vos détracteurs, en particulier les francophones de la planète que vous avez le don d'irriter, de décevoir et parfois d'humilier. Nous, non-Français de droite ou de gauche, n'avons pas attendu que la gauche en France soit portée au pouvoir et finisse par admettre la grandeur du général de Gaulle. Depuis toujours, nous avons partagé avec le grand homme une « certaine idée de la France ». Une idée reposant non sur la nostalgie d'une époque guerrière ou coloniale, mais sur ce que nous croyions être le foyer d'une civilisation commune, une manière d'être au monde, une culture respectueuse de la créativité, de l'audace, du bon goût et de la liberté.

Aujourd'hui, vous oscillez entre l'arrogance et l'autoflagellation, réussissant même, vous n'êtes pas à un paradoxe près, à cultiver les deux à la fois. Vous pratiquez l'arrogance, dernier vestige du temps de votre puissance perdue et vous flagellez, complexés par l'obsession de ne pas parvenir à ce que vous imaginez être l'efficacité américaine. L'anti-américanisme virulent comme la déification des États-Unis sont deux tics insupportables de la France actuelle.

Enfin, et aucun lecteur ne s'en étonnera, je me scandalise de l'inconscience avec laquelle, gauche et droite confondues, vous laissez l'anglais vous envahir jour après jour, pâmés que vous êtes de pouvoir baragouiner « in englische », assurance à vos yeux d'être à la mode, c'est-à-dire technologiquement en prise et culturellement émancipés. Faut-il vous rappeler que la défense de la culture de langue française ne peut pas relever que des francophones non français ?

Contrairement à Astérix, les Québécois, dont je suis, ne combattront pas indéfiniment à mains nues pour garder leur langue et leur culture si vous déposez les armes. Quant aux Africains francophones, pourquoi résisteraient-ils à l'attrait des États-Unis si la France, dans un repli de puissance moyenne et d'ex-colonisatrice culpabilisée, se drape dans son nouveau statut de pays comme les autres et devient indifférente à leur sort ?

La France a pu commettre des erreurs dans le passé, mais elle reste dans l'imaginaire du monde entier un lieu magique, complexe et brillant. À titre de francophone du Québec dont les racines françaises remontent au XVIIe siècle, je ne laisserai pas ses habitants me renvoyer d'eux-mêmes cette image déprimante d'un peuple qui semble se convaincre que ses forces sont ses faiblesses et vice versa. Tant que je parlerai français, que je lirai en français, que je rêverai en français, je m'autoriserai le droit de vous critiquer. Car je refuse que vous bradiez une partie du patrimoine culturel que je partage avec vous.

Le vocabulaire fout le camp

On ne risque plus, de nos jours, d'entendre des formules du genre « Plaît-il ? », « Permettez que je vous interrompe un moment », « J'ai le sentiment que je vous ai mal compris », à moins de fréquenter les salons lambrissés de quelques demeures ou instituts devenus musées. Vous Français, dans un effort pour être de votre temps, c'est-à-dire jeunes, in, hard, cool, rap et influencés en cela par votre télévision, vous vous « emmerdez » plutôt que de vous « ennuyer » et vous « démerdez » plutôt que de vous « débrouiller » devant les situations jadis « inextricables » devenues « bordéliques », créées par des « enfoirés » qualifiés autrefois d'« irresponsables ». Bref, fini les « conneries ». À vrai dire, pas tout à fait, car le mot d'ordre le plus fréquent, qui sert à la fois de sujet, de verbe et de complément et définit tout ce qui bouge, agit ou se tait, c'est le mot « con ». « Il n'y a plus rien à comprendre de la France si vous ne vous convainquez pas que les Français sont des cons, dirigés par des cons », me disent des interlocuteurs décorés, agrégés, respectés, et dont je comprends qu'ils s'excluent eux-mêmes de leur généralisation définitive. Pas étonnant que le film *Dîner de cons*, pur produit de l'imaginaire français, ait recueilli ce succès monstre.

Cette histoire que l'Amérique politiquement correcte devra adapter car la couleur de la peau, le sexe, la religion, l'origine ethnique rendront délicat le choix des acteurs dans le rôle des cons reflète un certain esprit qui flotte en France. Si Boileau a toujours raison, si « ce qui se conçoit bien s'énonce clairement et les mots pour le dire viennent aisément », l'embrouille est devenue une nouvelle donne française. Quand Philippe de Villiers qualifie son malheureux ex-député, Charles de Gaulle, rallié à Le Pen, d'« illustre con », que ne dit-il pas ? Simplement que le petits-fils qui ne mérite pas sa lignée a choisi son camp, celui des antidémocrates. Ce n'est pas « con », c'est grave…

Ce relâchement répandu depuis peu et, à ma grande surprise, dans toutes les couches de la société, a de quoi choquer les amoureux de la langue, admirateurs à la fois de la richesse langagière française, de sa rigueur, de son élégance et des subtilités de son vocabulaire. Pour comprendre ce changement rapide, l'on n'a qu'à écouter la radio ou regarder la télévision. Car à l'ère de la culture de masse, la référence en matière de langue parlée est dictée davantage par les médias électroniques que par la famille ou l'école.

De nos jours, les enfants ne parlent plus comme les adultes qui les entourent, parents ou enseignants, ils s'expriment comme les animateurs de radio ou de télé les plus populaires lesquels, par démagogie ou bêtise, plongent dans la trivialité tête première, pour ne pas dire cul par-dessus tête. Désormais audimat plutôt que noblesse oblige.

Il y a, dans ce laisser-aller, une volonté plus ou moins consciente d'égalitarisme social mal compris, mal assimilé, ou clairement malhonnête. Un intellectuel qui parle comme un zonard est un imposteur, un animateur de télé qui baragouine en franglais est un irresponsable et un journaliste qui éclabousse sa langue d'expressions scatologiques ou tutoie à tout venant déraille.

Aveuglée sans doute par ma naïveté, je n'aurais pas cru que dans le pays de la civilisation dont je suis tout de même issue, dans cette France au rayonnement culturel séculaire, où la parole, transformée en art, a commandé l'admiration de tous les lettrés de la planète, dans cette enclave de l'esprit, la couche de vernis fût si mince. Impensable, croyais-je, cette glorification de la vulgarité travestie en symbole d'affranchissement social.

Cette dégradation — quiconque soutient le contraire a besoin de se lever tôt pour me convaincre — se veut sans doute une tentative de décrispation, à droite comme à gauche, où l'on est hanté par l'image d'une France poussiéreuse, surannée, engoncée dans son Histoire, obsédée par son âge et surtout inquiète de sa capacité d'adaptation à la modernité. Quelle stupidité cependant de s'en prendre à la langue comme si elle était responsable du conformisme social et du manque d'imagination et d'audace pour affronter les défis du nouveau siècle ! Qui a décrété qu'appauvrir la langue assurerait le progrès ? Croit-on qu'en adoptant le sabir des jeunes zonards on règle leurs problèmes ? Espère-t-on perdre sa conscience de classe en reproduisant la langue des banlieues ? Pense-t-on augmenter sa puissance sexuelle en parlant de cul ? Imagine-t-on réaliser des films à la manière américaine en remplaçant les « fuck » par des « je t'encule » ?

Vous êtes passés de la langue de bois à la langue indigente estimant peut-être que l'une excluait l'autre. Erreur indiscutable. On ne parle pas plus vrai avec un vocabulaire cru ou grossier. On s'appauvrit et on rend insignifiantes, au sens propre du terme, la pensée et la réalité. Quand, d'aventure, l'objectif est aussi de dérider l'interlocuteur, la langue française n'a plus qu'à mourir de rire.

Je me souviens avec ravissement, il y a quelques années encore, des conversations de café, des échanges entre écoliers, des débats animés et brillants dans les dîners et même des échanges épiques entre automobilistes s'engueulant avec verdeur aux intersections. On avait les mots pour le dire, pour paraphraser le titre du grand livre de Marie Cardinal. Me reste en mémoire mon premier accrochage verbal, fraîchement débarquée de Montréal dans les années soixante-dix. Ignorant les pratiques, j'avais eu le malheur de prendre les fruits moi-même chez le marchand de primeurs de mon quartier de Passy. Accompagnée de mes beaux-fils, jeans, tee-shirts et cheveux longs d'après Woodstock, nous détonnions parmi la clientèle dont les réflexes de classe et les mœurs m'étaient encore inconnus. Quand j'ai compris le sens de l'expression BCBG qui qualifiait ces gens, j'ai eu le sentiment que le bon genre ne s'appliquait guère à eux car leur dédain des subalternes faisait très mauvais genre à mes yeux de Nord-Américaine. Toujours est-il que l'employé, le vendeur devrais-je sans doute préciser, jeta à peine un regard sur notre équipage et s'adressant à ses collègues lança sarcastique : « Ça habite les beaux quartiers et ça se donne des allures de Front populaire. » Quelle repartie ! Il venait de résumer mon cours d'introduction à Marx et confirmer en même temps l'efficacité française dans le maniement de la langue. De nos jours, la remarque paraîtrait anachronique car le débraillé est plus souvent la marque des clients que des commerçants. Quant à l'insulte à la mode, elle tient davantage de la scatologie que de l'idéologie.

Vous êtes trop nombreux à vous être laissé convaincre que votre langue n'ayant pas la souplesse de l'anglais — et de l'anglais tel que parlé par les Américains dans les films de mafieux ou de banlieues pauvres, précisons-le — est inapte à rendre compte de l'évolution de l'époque. Certains d'entre vous en éprouvent même une sorte de complexe et se laissent envahir par les expressions anglaises. Mais pourquoi, grand Dieu, un « feeling » serait plus juste qu'un « sentiment » et les « seventies » auraient davantage de poids chronologique que les années soixante-dix ? Enfin, par quelle aberration « making love » serait-il plus érotique que faire l'amour dans un pays qui se targuait il y a peu de l'incarner ?

Remplacer imbécile, idiot, débile, demeuré, minus par « con » appauvrit certes la langue mais le jour où une « love story » possédera un pouvoir évocateur plus fort qu'une histoire d'amour, vous aurez assimilé votre âme, si tant est que ce mot ait encore un sens. Je ne m'oppose guère à la soul music ou au light food mais je n'y reconnais ni la cuisine ni la tradition musicale françaises. Et surtout, ces mots n'appartiennent pas à l'univers affectif de ma propre langue.

Cette double déperdition, qu'on ne peut dénoncer sans provoquer les ricanements des moderniaiseux[1] et les haussements d'épaules des fatalistes épuisés par les combats passés, est affligeante. Nord-Américaine ayant la prétention de connaître les États-Unis où je réside quelques mois par an, j'apprécie leur dynamisme, leur capacité de foncer mais je suis témoin de leurs limites, en particulier de leur idolâtrie de l'argent et par voie de conséquence de leur dédain à peine retenu pour les activités intellectuelles ou culturelles sans objectif d'efficacité. Bref, la culture de masse américaine accorde peu d'importance à cette connaissance inutile dont Jean-François Revel nous a parlé si admirablement et qui représente l'espace de liberté de la pensée. En malmenant votre langue, apparemment inconscients de l'affaiblir et de la mettre en péril, vous faites preuve d'une irresponsabilité que ne partageront jamais les francophones destinés par leur statut de minoritaires à jouer le rôle de dépositaires d'un avenir incertain.

---

1. Néologisme créé par l'auteur, constitué d'une contraction du mot moderne si galvaudé et du mot niaiseux, québécisme qui se passe d'explication.

La France vue du petit écran

D'entrée de jeu, je le proclame, jamais je n'aurais cru que dans votre pays marqué de tradition culturelle où les intellectuels et les écrivains ont joué le rôle que l'on sait, la dégradation de la télévision ait été si subite. La vulgarité, l'insignifiance, l'ineptie ont envahi les chaînes et, en ce sens, la télévision française n'a plus rien à envier à la télé américaine. On y présente du sexe triste, du misérabilisme, des catastrophes, des faits divers sensationnels, du comique indigeste, bref, la distraction a pris le pas sur la culture, cette dernière étant refoulée sur les chaînes généralistes en périphérie d'antenne. Avec le résultat que seuls les insomniaques ont droit aux émissions de qualité et aux débats qui honorent l'intelligence.

Bien sûr, des exceptions existent. Bien sûr, on trouve « Envoyé spécial », et de bonnes émissions divertissantes, et des dramatiques de qualité supérieure en heure de grande écoute. Et la Cinquième et Arte me direz-vous ? Ces deux chaînes qui servent de bonne conscience au service public ne sont pas plus représentatives de la qualité moyenne de la télévision que l'École normale supérieure ne l'est du système d'enseignement de votre pays. Je parle ici d'une tendance qui s'est accentuée au cours de la dernière décennie et qui est cautionnée par ceux-là mêmes qui décriaient la télévision américaine à une autre époque.

Pour avoir consacré plusieurs années à l'étude de la télé française dans les années soixante-dix[1] et pour être restée en contact avec celle-ci au cours de séjours réguliers puis grâce à TV5, je demeure étonnée du manque de créativité dont on fait preuve dans les chaînes. Quand elles s'inspirent de concepts américains, tels les « Big-dile » ou « Nulle part ailleurs », le résultat devient le sous-produit du genre. Au point que je serais tentée de dire : « N'essayez pas d'imiter les Américains car dans les émissions qu'ils

---

1. *La Voix de la France*, Laffont, 1975.

créent, haut ou bas de gamme, ils sont imbattables. Regardez vos soirées des Césars, copie déprimante de leurs Oscars, regardez vos Victoires de la musique, shows indigents à côté de leurs Grammys. Trouvez donc des formules qui vous ressemblent, qui s'inscrivent dans vos traditions, votre esprit, votre esthétique. » Un Français qui joue l'Américain décontracté provoque toujours un malaise chez moi tellement il m'apparaît faux. C'est exactement le sentiment que j'éprouve quand je regarde un certain nombre d'émissions qui se prétendent non conformistes. Croit-on vraiment que Karl Zéro est un journaliste percutant parce qu'il tutoie ses invités et imagine-t-on qu'interroger sur un ton baveux un politicien témoigne de la pertinence des questions ? Quand le persiflage tient lieu de contenu, il masque la plupart du temps le manque de travail de l'interviewer. L'audace et le courage journalistiques résident ailleurs. Une bonne entrevue est un exercice d'agressivité purement intellectuel et ne doit jamais se confondre avec l'attaque personnelle qu'on prendra soin de maquiller en pratiquant la boutade ou l'ironie, tout cela avec l'air de dire :

« Cause toujours mon lapin (ou ma lapine). » De plus, désamorcer de la sorte le contenu banalise le propos.

Loin de moi l'intention de donner une leçon. Mais il m'apparaît évident que dans votre société où, contrairement à ce qu'en pensent plusieurs, le poids hiérarchique reste lourd, l'insolence journalistique de façade ne garantit ni la compétence, ni la recherche de la vérité, ni la distance critique. Je préfère, à tout prendre, les entretiens de personnages politiques dans l'émission de Michel Drucker que ceux de certaines émissions spécialisées dans le genre. Drucker, professionnel qui a vu couler l'eau sous les ponts, a inventé une formule où le divertissement et la politique font bon ménage. Il s'agit là d'une création bien française. Les échanges sur le plateau entre les invités se déroulent dans la bonne humeur, l'intelligence et l'élégance. Les personnalités politiques se bousculent semble-t-il pour y être invitées, assurées de renvoyer d'elles-mêmes la meilleure image. Or, l'émission les révèle souvent telles qu'elles sont. Pour les avoir pratiqués plus de vingt ans, je sais que, malgré leur angoisse narcissique, devant la caméra, les hommes politiques (les femmes, à cet égard, sont différentes) croient que leur patinage autour des questions échappe aux téléspectateurs. Or, dans les émissions de Drucker, certains sont démasqués par la gentillesse et la neutralité bienveillante de ceux qui les interrogent et qui les entraînent sur des terrains qu'ils n'ont pas toujours choisis. Voilà donc une émission originale qui marie les genres : l'art de la conversation, le divertissement agréable et la joute intellectuelle comme on aime la voir en France. Cela dit, et j'insiste là-dessus, ce genre ne peut exister en lieu et place des émissions d'information où les personnalités politiques doivent répondre de leurs actions devant des journalistes qui les interrogent. Car, avant que de connaître la personnalité de ceux et celles qui nous gouvernent, il faut les obliger à rendre des comptes.

Lorsque je me suis penchée sur la télévision française dans les années soixante-dix, cette dernière, entièrement sous contrôle gouvernemental, transmettait la « Voix de la France » selon l'expression célèbre de Georges Pompidou. Le décalage entre la vigueur du débat politique dans la société de l'époque et l'absence de celui-ci à l'antenne m'avait alors choquée. Je ne pouvais comprendre que le pays qui se targuait d'être celui de la liberté soit muselé à travers sa télévision. Les choses ont bien changé. L'Élysée n'approuve plus, comme c'était le cas à l'époque, le conducteur du journal télévisé. Le problème s'est déplacé. L'influence politique s'exerce désormais comme elle s'exerce un peut partout dans les services publics de nos démocraties où les journalistes pratiquent plus ou moins consciemment l'autocensure. Prétendre le contraire est faux et malhonnête. Mais, en France, vous demeurez davantage courtisans face aux pouvoirs et la télévision reflète cette pratique. Si bien que les puissants échappent à l'approche critique des animateurs dont c'est le fonds de commerce de faire croire qu'elle existe.

Ma perception de la France, et je dirais de l'Europe en général, m'a toujours portée à penser que la tradition et l'épaisseur historique mettaient ces pays à l'abri de certaines dérives américaines. J'étais naïve et d'une certaine manière je le reste. Les vrais débats, ceux qui permettent le choc des idées et qu'on peut encore retrouver dans la presse écrite, sont quasi absents des chaînes. En lieu et place, l'on présente des émissions où l'on se confesse volontiers, où l'on se déshabille sans pudeur, où les invités, souvent de parfaits inconnus, se livrent en pâture au jugement du public. À cet égard, la France a changé, beaucoup changé. La retenue a disparu. À la suite des Américains, vous déballez volontiers votre intimité en public et avec une crudité impensable il y a vingt ans. Les « fais chier », les « on s'en branle », les « on en a rien à cirer » qui font partie de nos jours du vocabulaire télévisuel accèdent ainsi à une légitimité sociale. Dans les « reality shows », quelques animateurs tirent brillamment leur épingle du jeu en humanisant le modèle américain. Mireille Dumas et Delarue sont de ceux-là. Cette télévision-confessionnal est fort prisée du grand public mais j'entends encore les remarques de mes amis français qui juraient jadis sur la tête de leur mère que jamais ce type d'émissions fort populaires depuis longtemps aux États-Unis et au Canada n'atterriraient en France. La mentalité et la culture ne la toléreraient pas, prétendaient-ils.

De deux choses l'une. Ou vous vous êtes américanisés dans votre comportement même, ou la compétition des chaînes, résultat de leur multiplication, a entraîné une baisse générale de qualité. Le phénomène n'est pas exclusif à la France mais quelle déception j'éprouve devant la faible résistance à ce glissement progressif vers le bas que le sénateur Jean Cluzel n'a de cesse de dénoncer !

Dans plusieurs pays, les chaînes privées de télévision ont pris l'habitude de programmer des films plus ou moins porno en fin de soirée ; la France n'échappe pas à la règle. Mais, curieusement, c'est aussi aux mêmes heures que l'on y présente les émissions dites sérieuses ou culturelles, tel « Bouillon de culture » ou des documentaires ou des débats philosophiques. Si la porno légère doit échapper au regard des enfants, justification de l'heure tardive de diffusion de ces émissions, faut-il en conclure que le discours intelligent contiendrait des éléments pornographiques à ne pas mettre à la portée de tous les publics ?

Quant à cette décision de France 2 de présenter une nuit entière par semaine des documentaires plus passionnants les uns que les autres, je ne vois qu'imprudence dans cette démarche. Elle permet en fin d'année aux dirigeants de comptabiliser ces heures mortes afin d'augmenter la moyenne d'émissions d'information à l'antenne, moyenne qu'on lancera comme de la poudre aux yeux devant les défenseurs d'un service public moins axé sur le divertissement systématique.

Devançant les critiques, quelques responsables répondent que rien n'empêche les téléspectateurs d'enregistrer les émissions nocturnes afin de les visionner à leur guise. À leurs yeux, le service public se définirait désormais comme un commerce de transcription de cassettes. Je m'étonne que personne ne réagisse devant cette conception pour le moins douteuse d'un service public de télévision. Et comment se fait-il que vous ne vous rendiez pas compte que lorsque la culture et le cul se retrouvent dans les mêmes créneaux l'indécence n'est sans doute pas là où on l'imagine ?

Gauche-droite : fini la passion

J'ai connu la France à l'époque des luttes passionnelles entre la gauche et la droite, au temps où l'alternance apparaissait une utopie. La victoire de la gauche représentait selon les uns l'entrée au paradis, selon les autres l'Apocalypse. Pour un étranger n'ayant pas à subir les effets stérilisants de ces luttes idéologiques, la période s'avérait fascinante. De Gaulle reposait à Colombey où les Québécois, ceux de gauche surtout, défilaient en pèlerinage (la gauche n'a pas le même sens partout, il faut croire) et Pompidou assurait l'impossible succession. La politique dominait le discours public et privé. J'appris donc très vite à ne pas confondre l'orientation idéologique de mes interlocuteurs. Pourtant, à mes yeux de libérale (au sens anglo-saxon du terme), je trouvais les uns et les autres aussi intolérants dans le jugement qu'ils portaient sur ceux qu'ils prenaient soin de qualifier de « nos adversaires ».

Au moment du « Vive le Québec libre ! », j'avais été ulcérée comme beaucoup de mes compatriotes par le déferlement haineux de la presse de gauche contre le Général. J'avais compris alors qu'aux yeux de ces « progressistes » les amis de leur ennemi devenaient leurs ennemis et qu'en plus les Québécois avaient le défaut d'être trop riches et trop blancs pour soulever leur intérêt. Par ailleurs, je n'arrivais pas à accepter la condescendance de plusieurs représentants de la droite qui parlaient de nous comme d'une colonie à reconquérir. À leurs yeux, j'appartenais à une espèce folklorique. Je me souviens d'une rencontre, au Sénat, avec l'un de ses dignes et doctes représentants qui, après m'avoir entendue parler, s'écria emballé : « Mademoiselle, je vous félicite, c'est la première fois que je rencontre une Canadienne qui parle si bien notre français. Bravo, vous m'impressionnez ! » Par charité chrétienne, je me suis retenue de répondre qu'il ne me faisait pas le même effet. Je lui ai simplement demandé s'il félicitait aussi les Noirs qui avaient la peau très claire et j'ai tourné les talons avant que lui ne tourne de l'œil.

Cette France d'alors, divisée officiellement en deux, alors que les luttes intestines entre les communistes et les socialistes, entre les socialistes entre eux et les diverses droites entre elles battaient leur plein, enthousiasmait les observateurs dont j'étais. Nous vivions dans un laboratoire sans avoir à subir les déflagrations éventuelles des matières inflammables. Les politiciens, de même que les journalistes du camp adverse qui les épiaient et les dénonçaient, occupaient l'avant-scène devant leur public respectif qui applaudissait ou huait.

À l'extérieur de la France, cependant, on resserrait les rangs et j'ai souvenance d'un célèbre et prestigieux confrère de gauche en visite au Québec, qui refusa tout net de commenter l'action du président Giscard d'Estaing. « Je m'oppose à la politique de mon président mais ne me demandez pas de dénigrer mon pays quand je suis à l'étranger », déclara-t-il devant notre groupe de journalistes stupéfaits, hésitants entre l'admiration et le blâme, compte tenu qu'il venait chez nous pris en charge financièrement par le Quai d'Orsay, pratique impensable dans l'éthique journalistique canadienne.

L'arrivée de la gauche au pouvoir m'apparut donc un signe de santé démocratique ne serait-ce qu'à cause du changement de garde qu'elle favorisait. La venue de nouveaux élus de sensibilité et de culture si différentes ne pouvait être que bénéfique pour le pays. Et ces socialistes au pouvoir dans une des grandes démocraties méritaient notre attention. De plus, la personnalité de François Mitterrand captivait et il fallait appartenir à la droite aveuglée pour ne pas l'admettre. À l'extérieur, donc, la politique française suscitait un intérêt soutenu, ne serait-ce qu'à cause de la singularité de la situation.

Le débat politique s'articula selon une nouvelle logique et avec un style, appelons-le culturel, dû à la figure du chef de l'État lui-même. Un vent d'espoir soufflait sur le pays que fuyaient quelques frileux, angoissés à l'idée que les troupes soviétiques et leur cheval de Troie socialiste ne les détroussent. C'est ainsi que je vis débarquer à Montréal des Français argentés apparemment dans l'ignorance que le système canadien, non socialiste, pratiquait un égalitarisme, entre autres fiscal, que leur pays, même rougi, ne connaîtrait jamais. Ceux-ci ont vite déchanté pour s'envoler vers des cieux plus chauds, dans des îles de pavillons de complaisance.

Au cours de ces années, il ne m'apparut pas évident que la décrispation s'atténuait, que le poids hiérarchique s'allégeait et que le discours public abandonnait un tant soit peu la langue de bois. Certes, quelques ministres s'habillaient avec plus de fantaisie, portaient des chemises roses et des cravates à fruits, mais la presse de gauche s'autocensurait et celle de droite se déchaînait. Cette relève n'avait amené qu'un renversement des rôles. J'étais désappointée et obligée d'en conclure que les mentalités changeaient moins vite que les institutions.

La télévision, qui avait commencé à se désétatiser avant l'arrivée de la gauche, se cherchait un nouveau ton et de nouveaux présentateurs à sensibilité présidentielle mais il y avait là une brise légère annonçant plus de distance critique. Quant aux émissions politiques, elles réussissaient des scores

d'audience impensables dans nos pays libéraux à idéologie molle.

C'est en imposant par les urnes la cohabi-
tation que vous avez malgré vous sans doute
provoqué les vrais changements, ceux qui se
pointent à l'horizon. D'abord la brisure du
carcan gauche-droite qui empêche quiconque de prétendre sérieusement que la vertu
se situe d'un seul côté. La tolérance, la
liberté de parole, le sens de l'État, le respect
des fonds publics, toutes ces qualités qui
caractérisent les vrais démocrates n'ont rien à
voir avec votre dichotomie gauche-droite. À
ce propos, vous semblez même en avance sur
vos représentants comme le démontrent les
nombreux sondages. La désaffection politique, en réponse à cette dichotomie et qui
touche de nombreux jeunes aujourd'hui,
m'apparaît plus saine vu sous cet angle que
l'enfermement partisan qui consiste, par
exemple, à justifier sous le couvert d'explica-
tions rationnelles les scandales financiers dès
lors qu'ils sont le fait des militants de son
propre camp.

À cet égard, ces scandales, jadis cachés,
qui éclatent au grand jour mais aboutissent
difficilement, entraîneront, il faut l'espérer,

une transformation profonde des mentalités. Ils fracassent la partisanerie aveugle et désacralisent le champ politique. L'accession de la France à la modernité démocratique implique que les élus soient considérés comme des locataires du pouvoir dans la mire constante de l'opinion publique. Dans votre cas, la transparence y gagnera sur la flamboyance et le pragmatisme sur le romantisme. Au bout du compte, le citoyen payeur de taxes s'en réjouira.

Cette nouvelle France est moins intéressante aux yeux des étrangers que celle mystérieuse, construite sur la densité de secrets bien protégés. Vos politiciens démasqués, et parmi eux quelques figures emblématiques, démystifient tous les autres, et de ce fait la vie politique est en voie de normalisation. La presse elle-même vit cette transformation et, mis à part quelques exceptions, le sens critique retrouve sa vigueur en dehors de toute étiquette. Vous êtes en train d'admettre l'évidence, à savoir que la vérité n'a pas de camp et qu'elle se situe plutôt à mi-chemin à gauche ou à droite.

La France sous François Mitterrand, empreinte de grandeur passée, de projets tels le Grand Louvre, l'opéra de la Bastille, la Grande Bibliothèque, restait en marge de l'approche plus pragmatique, plus humble dirions-nous, de l'action politique dans les démocraties avancées. François Mitterrand, incarnation de la Culture française, ami des arts et des lettres, régnait avant que de gouverner. J'avoue qu'à l'instar de beaucoup d'étrangers j'étais impressionnée par sa conduite de la politique française dans le monde comme si cette dernière était encore une grande puissance. À certains moments, on y croyait presque tellement l'on confondait sa personne avec son pays. Même les Américains succombèrent à ce mirage. Jacques Chirac marque une rupture réelle. Sa France à lui a moins de panache, moins d'ambitions, moins de poids historique mais elle est dans le ton de l'époque et de la réalité des démocraties moyennes. On le regrette certes comme on regrette les fastes de cour, les coups d'éclats impériaux, oubliant les prix exorbitants de ces grandeurs.

Venant du Canada, un pays puritain avec les fonds publics, je n'ai jamais admis qu'un chef d'État puisse traverser la planète en Concorde avec une suite d'amis, journalistes, romanciers ou acteurs, aux frais de la République. J'ai été estomaquée de constater que la seconde famille du président émargeait au budget de l'État. Je me disais que cette façon de faire, apparemment cautionnée par l'opinion, contribuait à mettre la France dans un créneau à part, celui de la démocratie monarchique. Je n'ai jamais compris aussi les privilèges attachés aux fonctions qui se perpétuent, bien après que leurs détenteurs se sont retirés. La France décidément marque sa différence culturelle de façon bien peu démocratique en légitimant les acquis des puissants.

Il faut être téméraire ou inconscient pour entreprendre une discussion politique avec vous. Dans un premier cas de figure, vous tentez de nous enfermer dans votre grille gauche-droite et, si nous protestons, vos yeux s'éclairent : vous avez compris. Notre camp est celui de vos adversaires. Ou alors, nous commençons à discuter, ravi vous nous croyez de votre bord et puis, catastrophe, nous avançons un argument, à vos yeux fallacieux, appartenant à l'autre camp. Alors, vous nous rangez soit parmi les ignorants ou, pis, parmi les naïfs. Car vous estimez que la naïveté ne relève pas de la sincérité mais de la bêtise. La prudence impose donc de connaître le passé partisan de chacun d'entre vous. Pour comprendre par exemple la véhémence ou l'intransigeance de votre propos. C'est ainsi que je me suis retrouvée à défendre la légitimité de l'engagement communiste face à des gens dont je ne soupçonnais pas qu'ils avaient été membres du PC, staliniens purs et durs. J'ai appris après coup que mes interlocuteurs expulsaient allégrement de leur cellule, à une autre époque, les camarades trop conciliants face à l'exploiteur capitaliste. Ces convertis de la droite qui avaient vomi un jour sur les dissidents soviétiques n'ont rien perdu de leur véhémence, et la pratique de l'exclusion intellectuelle — et je suppose, s'ils en avaient le pouvoir, de l'exclusion sociale — leur est instinctive. D'anciens maoïstes se sont transformés eux en libertins dandies, des ex-castristes en P-DG d'entreprise et d'anciens fascistes de choc en politiciens ramollis et complaisants. Bref, l'étranger qui se risque à discuter politique avec vous avance en terrain miné et cela contribue sans doute à faire, de la vie politique en France, une forêt peuplée de chausse-trapes.

Tout en admettant la transformation définitive de votre pays en puissance moyenne, tout en ayant sacrifié une certaine partie de sa souveraineté au profit de l'appartenance européenne, vous avez encore du mal à vous ajuster aux réalités de cette réduction. « Que pense-t-on de Sarkozy et d'Alliot-Marie au Canada ? » me demandent, sans rire, des amis de droite. « Croit-on à une victoire de Delanoë à la mairie de Paris ? Qu'a-t-on pensé du remaniement de Jospin ? » questionnent ceux de gauche. « Dans quel monde vivez-vous pour croire que la politique intérieure française soulève l'intérêt de l'opinion canadienne ? » suis-je tentée de répondre. De Gaulle, d'accord. Mitterrand, évidemment. Chirac, passe encore, mais la singularité française, son influence et son prestige n'ont plus rien de commun avec les tiraillages à droite et les luttes de pouvoir entre les socialistes, tendance Blair ou Chevènement, à gauche.

Que la politique ne soit plus omniprésente, que les émissions qui lui sont consacrées ne fassent plus les scores d'audimat de jadis, quoi de plus normal ? Cette enflure du politique, cette cassure de la France en deux qui s'étendait à tous les secteurs de la vie, qui l'empoisonnait à vrai dire, s'est réduite au profit de la réalité démocratique de l'époque. Bien sûr a-t-il fallu que le mur de Berlin s'effondre, que les frontières éclatent sous la pression de la mondialisation des marchés et que les scandales soient enfin mis au jour pour rétablir l'équilibre entre les pouvoirs. Il a fallu aussi que l'opinion publique s'épuise devant tant d'énergies stérilisées.

L'intérêt de votre politique française pour l'étrangère que je suis, c'est de voir comment elle réussira à conserver son identité dans l'Europe d'abord, puis dans le monde. Qu'est-ce donc que l'approche française sinon ce sentiment d'apporter une vision plus culturelle des relations internationales ? À cet égard, Bernard Kouchner, peu importe le phénomène médiatique qui l'entoure, incarne le meilleur d'une France qu'on aime aimer. Celle des droits de la personne, celle du respect de la mémoire de l'Autre, celle de l'ouverture et de la conscience universelle. On est loin du cynisme qui a dégoûté une partie des jeunes de la politique, ce même cynisme qui a corrompu la vie intellectuelle parisienne et condamné le Premier ministre Jospin pour une de ses réussites les plus admirables, celle d'avoir nommé les choses par leur nom lors d'un voyage en Israël.

Certains d'entre vous se plaignent que les acteurs politiques se soient banalisés, aseptisés, oubliant (si vite) que les héros avaient besoin de guerre pour se faire valoir et les grands hommes, de trésorerie inépuisable pour alimenter leurs rêves de grandeur. Vos représentants sont plus lisses, plus ternes, plus modestes souvent que leurs prédécesseurs. Vous semblez ambivalents devant le phénomène car vous succombez facilement aux charmes des forts en gueule, des sauveurs instantanés, des gagnants du jour. La démocratie avancée suppose l'humilité, une vertu bien peu cardinale à vos yeux. Elle suppose également un sens de l'égalité, cette autre vertu dont vous avez fait votre devise mais qui s'accommode mal de votre désir de vous extraire chacun d'entre vous de ce système égalitaire. Saurez-vous vous résoudre à la nouvelle réalité politique moins passionnante (hélas) mais plus juste et plus accordée à la contemporanéité de l'Occident dont vous êtes un des acteurs nécessaires voire indispensables ?

« *Cachez ce franc*
que je ne saurais voir[1] »

Quand j'ai débarqué en France dans les années soixante-dix pour un doctorat, mon directeur de thèse m'avait prévenue que, contrairement à mes attentes, les journalistes de télé — ma thèse portait sur la télévision — ne répondraient jamais au questionnaire que je souhaitais leur soumettre et qui comportait des questions sur leur salaire. « Dans ce pays, cela ne se fait pas », m'avait-il déclaré. Il fallait plutôt leur demander leur lieu d'habitation, s'ils possédaient une résidence secondaire, etc. Quelle complication inutile, me disais-je, alors qu'une simple petite question, « Combien gagnez-vous ? », réglait mon problème. Je décidai de passer

---

1. Molière n'aurait sans doute pas renié ce pastiche.

outre à la recommandation de mon professeur et j'eus raison. Aucun journaliste ne refusa de répondre, certains s'offrant même à me montrer leur feuille de salaire. En contrepartie, ils désiraient tout connaître de nos salaires au Canada. À vrai dire, ma qualité de Nord-Américaine leur permettait de refouler leur retenue. Mon directeur de thèse n'en revint pas. « Un Français n'aurait jamais obtenu ces informations car l'argent est tabou ici », conclut-il. Il avait sans doute raison mais je n'étais pas surprise pour autant car il m'arrivait régulièrement d'avoir à préciser, à leur demande, le cachet des invités français que j'interviewais pour la télé canadienne. Combien d'intellectuels et d'écrivains, par ailleurs distingués, me disaient au moment de l'entrevue : « Combien vais-je toucher ? », comme si de l'autre côté de l'Atlantique l'interdit tombait. L'un d'entre eux, et non le moindre, exigea même un chèque avant que s'allume la caméra. « En Amérique, on ne parle que d'argent », précisa-t-il avec une moue dédaigneuse au cours de l'entrevue qui portait sur les enjeux moraux des sociétés développées.

Les Français parlaient peut-être moins d'argent que nous, mais je n'avais jamais été soumise à pareille demande de la part de mes compatriotes écrivains ou intellectuels. Mes confrères et moi n'avions pas de notes de frais pour aller déjeuner fastueusement dans des restaurants où nous n'aurions pas mis les pieds s'il avait fallu payer de notre poche, des stations de ski ne nous prenaient pas en charge pour des séjours d'un week-end ou d'une semaine comme je l'ai moi-même expérimenté avec stupéfaction ayant été invitée à me joindre à quelques journalistes copains d'autant plus sportifs qu'ils pratiquaient leur passion à l'œil, et notre code d'éthique nous interdisait d'accepter les cadeaux, montres, billets d'avion, caisses de vin que des entreprises auraient pu être tentées de nous offrir. « Ça n'est pas une question de vertu pour vous, mais de répression », me précisa un ami devant lequel j'avais émis des réticences face à ces pratiques. « La liberté a un prix », avais-je répliqué, quelque peu déstabilisée. Il m'avait souri, attendri de tant d'innocence, j'imagine.

J'ai même vu, de mes yeux vu, dans un restaurant à Montréal, un cameraman français s'emparer d'un bloc de factures vierges pendant que son camarade distrayait la serveuse en la draguant innocemment. Devant ma mine déconfite — j'étais, en fait, scandalisée —, il m'expliqua que la télévision française pratiquait la radinerie sur les frais de séjour et qu'il fallait « rattraper le coup ».

On ne parlait pas d'argent en France jusqu'à tout récemment, mais la moindre fonction hiérarchique commandait voiture avec chauffeur, voire appartement, voyage en première classe à travers le monde ou la France, souvent avec femme et enfants. Décidément, les serviteurs de l'État étaient bien servis par lui. Lorsqu'un jour je pris connaissance des salaires des élus, j'en conclus que ceux dont je connaissais le train de vie fastueux devaient avoir des réserves secrètes ou des mécènes pour leur permettre leurs extravagances. L'argent de famille dont on parlait dans les romans était-il la clé de l'énigme ? De cet argent, cependant, l'on ne discourait jamais. Enfin, l'éclatement de ce que l'on a appelé curieusement les « Affaires » et qui a confirmé mes soupçons a éclairé ce mystère si peu mystérieux à vrai dire.

Dans les boutiques je ne m'habituais pas à subir le regard vaguement hautain des vendeurs quand je demandais le prix des choses. « Si vous n'avez pas les moyens d'acheter, que faites-vous dans mon commerce ? » avaient-ils l'air de penser. Je me suis surprise un jour à accentuer mon accent afin qu'une vendeuse, me sachant étrangère, cesse de me regarder comme si, en disant « Combien ? », je lui avais montré mon derrière. Aux États-Unis, comme chez nous, les quiz où l'on gagnait le gros lot après l'avoir chiffré faisaient fureur et l'on m'assurait dans le milieu télévisuel, que jamais ce genre d'émissions ne franchirait l'Atlantique. Il y avait des façons plus saines et moins vulgaires de se divertir, prétendait-on. Je prenais acte de ces déclarations définitives.

Puis vint Bernard Tapie.

Il était beau, roublard, séduisant et il aimait parler d'argent. Il en possédait, voulait en gagner davantage, même en tournant les coins ronds et il affichait sa richesse. C'était un parvenu, au sens littéral du terme, et fier de l'être. De votre président de la

République à votre concierge, vous tous êtes tombés amoureux de lui. Bernard Tapie avait déchiré le voile du Temple monétaire. On peut même se demander si Tapie n'est pas en partie responsable du dévoilement de ces « Affaires », les siennes au premier chef, dans la mesure où, en extirpant l'argent du silence, il a pavé la voie à la question essentielle : « Qui a payé qui, pourquoi et avec quel argent ? »

Pierre Botton, ce naïf bouc émissaire, qui s'est vite rendu compte qu'à défaut de corrompre les gens on pouvait les acheter en les flattant, est une pâle copie, quoique bien peu argenté, de ces cow-boys cyniques et hautains à droite et à gauche, qui attrapent les bakchichs au lasso, façon de ne pas y toucher avec les mains. Les scandales financiers, les détournements de fonds, les abus de biens sociaux, les privilèges en nature de toutes sortes, bref ces manigances, ces pillages de fonds publics, ces malversations cachées aujourd'hui peu à peu dévoilées, qui pouvait ignorer qu'ils existaient ? Facile d'être au-dessus de l'argent quand on en profite sans l'avoir gagné. Facile aussi de parler de justice sociale, d'égalité et de fraternité quand les fonctions publiques qu'on occupe à titre de ministre, député ou haut fonctionnaire nous permettent de plonger le bras dans des bourses anonymes. Vu de l'extérieur, cependant, une chose gêne dans ces divulgations de tous ordres qui s'additionnent : c'est le rôle des juges et leur acharnement sur certaines personnes alors que l'on peut imaginer cette façon de faire presque érigée en système. Pourquoi certains et pas d'autres, se demande-t-on, mais c'est une autre histoire tordue.

La France est une société de privilèges qui n'a pas encore réussi à encadrer efficacement le financement des partis politiques et des dépenses électorales. Au Canada, par exemple, des lois ont été votées dans les parlements tant fédéraux que provinciaux, depuis plusieurs années, et le Québec se distingue encore une fois du reste du Canada, s'étant doté de la loi la plus avancée en matière de financement des partis. À cet égard, mon ami français avait raison ; nous ne sommes pas vertueux par nature. L'on admettra cependant que nous avons malgré tout la volonté de faire en sorte de le devenir. Autre pays, autres mœurs, certes : un ministre canadien a même démissionné il y a quelques années, le temps d'une enquête dans sa circonscription où les dépenses éléctorales s'étaient élevées de 700 dollars au-dessus de la moyenne permise par la loi. Il fut prouvé qu'il y avait eu erreur de la part de sa trésorerie et il retrouva son poste. Cet encadrement rigide, trop rigide aux yeux d'une France trop souple, provoque de plus un effet d'entraînement non seulement dans le secteur public mais également dans le domaine privé. La transparence éclaire ainsi l'ensemble des activités financières, monétaires et fiscales et la démocratie gagne en qualité sous la pression de ce puritanisme. Tant que vous continuerez d'avoir une sorte de respect amusé pour les petits malins et les « débrouillards », comme vous désignez ceux qui contournent les lois, votre démocratie en prendra pour son rhume. Cela dit, les scandales récents, les gros, ne font plus rire la majorité d'entre vous. On souhaiterait seulement que votre indignation ne soit pas commandée par l'envie ou par la vengeance partisane mais plutôt par le sens de l'éthique. En ce sens, il est difficile pour moi de comprendre comment Roland Dumas a pu si longtemps entacher l'institution qu'il présidait sans que l'opinion éclairée de toutes tendances se soit levée d'un seul bond pour lui désigner la sortie.

Revenons un moment à cette supposée différence française face à l'argent dont on se gargarisait jadis.

Lorsque je vois des concurrents français, à la télé, sauter sur place en enlaçant l'animateur tout excité dans ces émissions grand public, jadis « impensables en France », où l'on gagne des voitures, des mobiliers de chambre à coucher ou des voyages à Tahiti en ayant deviné leur prix correctement, je hausse les épaules. Lorsque je constate le succès foudroyant de « Qui veut gagner des millions », je me marre pour dire la vérité. Il n'y a pas de honte à parler d'argent. Mais du tabou à l'exaltation il y a un gouffre que visiblement vous franchissez allégrement. Et scandale il y a lorsqu'on prétend mépriser l'argent alors qu'on encaisse en toute illégalité ou qu'on estime que les privilèges marginaux auxquels on a accès sont des droits ou de minimes compensations contre services rendus. Avec pareil raisonnement, chacun se transforme en exploiteur potentiel de l'autre et crée toute une chaîne de dépendance malsaine. Le vendeur satisfait est celui qui croit avoir roulé son client et ce dernier est heureux lorsqu'il a le sentiment d'avoir trompé le vendeur. De plus, comment se prétendre au-dessus de ces contingences grossières quand on achète son appartement en payant sous la table une partie de la somme, façon de rouler les payeurs de taxes, donc soi-même ? « Tout le monde le fait, fais-le donc » pourrait être votre slogan national si bien que les rares personnes qui se refusent à ces pratiques apparaissent à vos yeux comme des lunatiques, des angéliques ou des idiots.

J'ai cru longtemps que d'autres valeurs primaient dans votre pays. Une certaine tradition aristocratique face à l'argent m'impressionnait. Ce détachement, explicable peut-être par l'adaptation des aristocrates à la déchéance financière de leurs familles ou par une conscience morale héritée des Lumières, se vérifiait dans les milieux intellectuels. Il était de bon ton de porter des costumes élimés, de vivre dans des appartements négligés au milieu d'un mobilier bancal. Seule comptait l'activité de l'esprit.

J'avoue que mes origines modestes ne me permettent pas de m'élever à cette distance des biens matériels et de me sentir totalement dégagée face à l'argent. J'achète en demandant le prix des choses sans pour autant idolâtrer les riches. Il m'arrive de trouver nos lois et règlements concernant les fonds publics presque trop puritains ; j'estime, par exemple, que les députés et ministres de mon pays devraient être mieux rémunérés et, à vrai dire, dans les démocraties, les salaires publics gagneraient à être haussés pour éviter justement les tentations de conflits d'intérêts et les écarts si marqués avec le secteur privé.

Donc, à l'encontre de vos prétentions, vous êtes obnubilés par l'argent tout en conservant un réflexe de classe. Les anciens riches ne supportent pas les nouveaux riches, les intellectuels argentés crachent sur les incultes fortunés et les financiers qui roulent sur l'or méprisent tous ceux qui n'ont pas l'équivalent de leurs avoirs. Quant aux intellectuels et autres journalistes pauvres qui dédaignent dans leurs écrits les possédants, ils se ruent sur les invitations à l'œil, pour la bouffe, les voyages ou les divertissements de tous ordres. Et, bien sûr, ils ne regardent jamais ces quiz « honteux » où les gens ordinaires se pâment au vu et au su de la France entière lorsqu'ils remportent un gros lot de 20 000 francs.

Sans doute restez-vous aussi tributaires d'un vieux fond de catholicité face à l'argent alors que les Anglo-Saxons qui baignent dans l'éthique protestante ne dédaignent pas le Veau d'or. Aux États-Unis, et même au Canada, l'argent intégré au discours public est également au cœur du débat politique. En France, l'argent, omniprésent comme ailleurs, est toujours enrobé par l'idéologie. Les Affaires, à gauche et à droite, ont bien révélé son importance et l'hypocrisie ambiante. La véritable indécence est de se croire les mains propres quand on charge les autres de toucher pour soi les billets diaboliques. Demander le prix des choses signifie simplement que l'argent est limité et qu'on ne compte pas sur Elf pour arrondir les fins de mois. Demander « Combien ? » indique à l'interlocuteur qu'il est possible que le prix soit trop élevé pour sa bourse. C'est donc avouer ses limites financières. Dans une société stratifiée comme la vôtre, cela n'est pas sans inconvénients.

Ah ! l'Amérique !

L'Amérique, entendue au sens restrictif des États-Unis, car j'habite aussi l'Amérique, celle au-dessus du 45e parallèle, moins fascinante et plus modeste, l'Amérique donc vous départage avec tant de passion que je n'arrive pas toujours à saisir vos motivations secrètes. Entre ceux d'entre vous atteints du syndrome du plan Marshall qui n'accepteront jamais d'avoir mangé le corned-beef et le chewing-gum distribués par les libérateurs yankees, anges annonciateurs des dollars verts de la reconstruction, et les pâmés d'une Amérique mythique, rêvée et recréée à partir de lieux communs, vous êtes regroupés en deux camps comme pour la gauche et la droite. Mais étonnamment, face aux USA, vos camps sont confondus. On retrouve des tenants de la gauche pro-américains et des militants de la droite virulents anti-US. Bref, l'Amérique réussit, encore une fois, à créer un précédent, celui de faire éclater la barrière idéologique érigée en 1789.

Je suis nord-américaine et je vis à Montréal, ville qui vous déçoit parce que « vachement américaine ». Vous vous réconciliez à Québec où vous retrouvez l'atmosphère rassurante d'une ville française où le folklore pèse encore de son poids. Et lorsque vous vous enfoncez dans les campagnes ou les forêts, la couleur locale vous fait oublier que la vie quotidienne au nord de l'Amérique ressemble étrangement à celle de nos puissants voisins qui eux-mêmes ne vivent pas tous dans ces villes phares que sont New York, Los Angeles ou Chicago.

Une partie de ma famille maternelle est née aux États-Unis, s'exilant au début du siècle en tant que prolétaire dans les manufactures de textile de la Nouvelle-Angleterre. De retour au pays, ma grand-mère, qui n'avait pas réussi en dix ans à parler correctement l'anglais, truffait sa langue d'expressions anglaises et avait honte, disait-elle, d'avoir perdu son parler d'avant. Elle gardait, comme ses filles mes tantes, une image noire de l'Amérique. « Les États-Unis, ç'a été la misère », répétait-elle. Ce fut ma première perception des USA. Ma mère, la onzième et la dernière enfant de la famille, est née à Montréal et a appris l'anglais très tôt. Elle m'a transmis une vision romanesque des Américains, alimentée par les « soap operas » radiophoniques — thème du film *Radio Days* de Woody Allen où j'ai retrouvé les voix et la musique qui ont bercé ma petite enfance — et les films d'Hollywood dont elle était intoxiquée. J'ai appris l'anglais à mon tour, j'ai découvert New York, la côte du Maine, la Floride et, plus tard, les sciences sociales américaines. La puissance de cet encombrant voisin m'a souvent agacée, l'impérialisme culturel qu'il pratique me transforme en combattante, sa politique étrangère, selon les périodes, a reçu mon assentiment et mon blâme et l'affaire Clinton me semble donner une idée assez juste du rapport des Américains au sexe. Je ne suis donc ni obnubilée ni haineuse face au géant sur lequel est couché le Canada. J'y vis même quelques mois par an, ce qui me permet de saisir le dramatique décalage entre l'image que l'Amérique donne d'elle-même à travers sa télévision et son cinéma et la réalité quotidienne dans laquelle baignent ce qu'il est convenu d'appeler les Américains moyens. Or, à vos yeux, rien n'est moyen en Amérique, du moins l'Amérique dont vous parlez et que vous ne connaissez pour la plupart pas du tout.

Face aux Américains, vous devenez souvent amnésiques de vous-mêmes. Ceux parmi vous qui dénoncent le plus violemment et les inégalités du système social et la politique étrangère américaine sont ceux qui ont cautionné à d'autres époques l'exploitation de l'homme par l'homme dans les pays totalitaires, ceux qui ont vanté Mao marchant sur les eaux, qualifié de « libération » l'entrée des Khmers rouges à Phnom-Penh, traité d'adversaires du socialisme les victimes du Goulag et, plus récemment, oublié de s'interroger sur les voyages systématiques en radeau des Cubains vers la Floride. Plusieurs se sont depuis amendés mais ont gardé leurs réflexes anti-yankees. Comment pourraient-ils désormais expliquer la complexité mondiale sans adversaire à diaboliser ?

Dans le domaine culturel, vous avez tendance à porter aux nues des « héros » qui incarnent, à vos yeux de myopes, l'Amérique profonde ou réelle. Dans les années soixante-dix, vous ne juriez que par Jerry Lewis, un acteur fada qui n'arrivait pas à la cheville de Fernandel. Puis il y eut la période Bukowski, écrivain de talent certes mais ivrogne, grossier, obscène, qualités à vos yeux, made in USA et que la presse française portait aux nues sans doute à cause de cela. Il fut remplacé par Monsieur Muscles, Silvester Stallone, acteur aux chaussures et au talent compensés qui fut décoré par un de vos ministres socialistes en extase devant peut-être ses biceps. Du moins, on l'espère, car cela ferait une raison objective pour lui accrocher une médaille sur le poitrail.

Au cours des récentes années, le nombre de vedettes encensées a décuplé. Et lorsque ces vedettes baragouinent quelques mots de français, l'hommage et surtout la couverture de presse grimpent comme l'indice Dow Jones les jours fastes. Lors du festival de Cannes, il faut voir vos journalistes hexagonaux, excités comme des matous en rut devant les Sharon Stone, les Demi Moore, les Sarah Jessica Parker, étonnées elles-mêmes de leur enthousiasme débridé. Les actrices italiennes, australiennes ou chinoises suscitent pour leur part un intérêt soit poli, soit expéditif. J'ai même vu un acteur américain au cours d'une émission demander en aparté à sa partenaire interviewée avec lui : « Is he stone ? » en parlant de l'animateur en apnée devant eux.

Ma compatriote Céline Dion, déjà superstar au Québec, ne reçut qu'un accueil mitigé lorsqu'elle tenta une première offensive chez vous. Ceux-là mêmes qui l'avaient écoutée distraitement ne jurèrent plus que par elle quand elle débarqua de nouveau via les USA où elle faisait un malheur. Désormais, Céline chantait en anglais. La France pouvait donc lui ouvrir les bras.

Pour vous défendre de votre pâmoison pro-américaine, vous aimez entretenir le mythe des yankees infantilisés, incultes, obèses et sans raffinement. S'il est vrai que l'obésité représente un fléau — les Américains disputent aux Russes ce triste record —, ces perceptions vous confortent tout de même en vous maintenant dans vos propres mythes de bons vivants, d'êtres cultivés, élégants et, cela va de soi, d'amants imbattables. L'on crache sur la violence et la superficialité de la culture « made in USA » et l'on se bouscule pour assister au dernier thriller hollywoodien. « Ce film est mauvais », dis-je un jour à une amie de Tours de passage à Paris et qui insistait pour que nous allions voir le navet blockbuster[1] de l'heure. « Il faut le voir, insista-t-elle, car il s'agit d'une métaphore très forte de l'Amérique en décomposition. — Je l'ai vu à Montréal à sa sortie, il y a trois mois, répliquai-je. Ce n'est qu'un mauvais film sans message. — Vous n'avez pas de recul étant vous-mêmes baignés dans cette culture », répondit-elle. Je me tus. Car, en plus d'imaginer l'Amérique en voie de déliquescence, elle me donnait le sentiment qu'en assistant au film elle communiait avec cette Amérique irréelle. Sans le savoir, et à l'instar de ses compatriotes, elle appartient à ce courant français de l'attirance honteuse où l'on cherche à intellectualiser après coup sa fascination pour les États-Unis. Voir ce film lui donne le sentiment d'être « in », à elle qui se vante de boycotter les films français aux scénarios « indigents ».

---

1. Film de fabrication hollywoodienne à budget illimité pour grand public.

« Au moins, les films américains me dépaysent », finit-elle par avouer. On peut lui rétorquer que, le jour où le cinéma français aura disparu faute de public comme elle, son dépaysement sera de taille.

Bien sûr, le dynamisme américain, modèle de référence partout dans le monde, suscite l'admiration. On ne va pas cracher sur la puissance alors qu'on rêve de la posséder ou qu'on demeure nostalgique de celle qui nous a échappé au fil du temps. Mais, lorsque vous admirez béatement les États-Unis, vous avez un mal fou à ne pas vous autoflageller en même temps. Le cinéma français, dites-vous, ne sait pas raconter des histoires universelles, vos romanciers sont tous des orphelins à la recherche de l'écriture de Proust et les jeunes, « Vive le trash », croient battre les « amerloques » sur leur propre terrain en étalant des obscénités, « yes man », qui les propulsent momentanément sous les réflecteurs complaisants des médias. Cette autoflagellation s'accompagne, on n'en est pas à un paradoxe près, d'un sentiment aigu d'être plus raffinés, plus complexes, plus instruits, plus roués aussi que ces Yankees qui se gavent de sucre, au propre comme au figuré, qui n'aiment que les *happy endings* et qui croient que la Géorgie est avant tout un État américain. Autrement dit, vous vous attribuez des faiblesses qui sont compensées par l'illusion d'une supériorité intrinsèque. Vous vous flagellez d'un côté et vous faites le bras d'honneur de l'autre.

Jamais je n'arriverai à comprendre pourquoi vous éprouvez si fortement ce sentiment que votre culture, fondée sur un passé si riche, soit dépassée. Pourquoi le poids de l'Histoire, son épaisseur, sa richesse sont perçus par un si grand nombre d'entre vous, des jeunes en particulier, influencés en cela par les médias de tous bords, comme un fardeau dont vous n'avez de cesse de vous débarrasser. Qu'est-il arrivé dans votre pays pour que la mode — et la mode, c'est l'Amérique — prenne le pas sur la modernité ? Comment la francophone que je suis peut-elle accepter que le dumping culturel américain, que tentent de freiner certains intellectuels et responsables politiques, apparaisse aux yeux de tant d'entre vous comme la référence d'une nouvelle façon de vivre ? Hormis les superstars, combien de chanteurs médiocres, d'écrivains insipides ou frelatés, de cinéastes fabriqués, de couturiers plus marketés que talentueux trouvent leurs thuriféraires dans l'Hexagone parmi ceux qui justement considèrent minables leurs équivalents français.

Que la France rêve d'une Amérique métaphorique, cela se conçoit aisément et en cela elle n'est pas différente du reste du monde. Qu'en France comme ailleurs, USA égale force, ambition, réussite, quoi de plus normal. Mais que la France s'essaie à copier en la caricaturant une Amérique qui ne devrait susciter l'envie de personne, voilà la désolation. Par exemple, les étrangers ont toujours été frappés en séjournant dans le pays par l'allure vestimentaire des Parisiens et particulièrement des Parisiennes. À la belle allure italienne correspondait l'élégance française, c'est-à-dire une façon de porter le vêtement, d'enrouler le foulard autour du cou, de marcher sur les trottoirs comme si l'on en était propriétaire, la tête haute, l'air de dire : « J'existe, écartez-vous », bref une prestance théâtralisée qui commandait l'envie et l'admiration. Or, le débraillé a imposé sa loi, ce débraillé importé des USA, où le jogging, le tee-shirt, les baskets et la casquette sont devenus l'uniforme quelles que soient les circonstances. « On ne s'habille plus », entend-on un peu partout, manière de dire que le vêtement ne marque plus la différence entre les diverses activités. Si les Américains affectionnent tant le pantalon de jogging, c'est pour son côté pyjama de rue plus confortable qu'un pantalon et qui camoufle les kilos en trop autour de la taille. En abandonnant l'esthétique au profit du confort et de l'efficacité, vous rendez-vous compte que vous rompez avec une tradition séculaire ? Si le confort et l'efficacité avaient prévalu sur la beauté dans la construction de Paris et son amélioration au cours du dernier siècle, on aurait transformé la Concorde en parking et installé des hypermarchés dans les quartiers après avoir rasé les petits commerces (certains ont dû y penser). Loin de moi l'idée de plaider pour l'inconfort et l'inefficacité mais l'américanisation de l'habillement me semble une perte culturelle pour la France, pays de la haute couture et du bon goût. Et l'argent ici ne constitue pas un argument. Le débraillé peut coûter très cher, les parents dont les enfants réclament des griffes en savent quelque chose.

Aux États-Unis, ce débraillé recouvre aussi une volonté de niveler l'appartenance sociale. Qu'importe l'allure, c'est le résultat qui compte. En France, ce relâchement ne correspond nullement à une volonté de transformer les rapports de classe. Ce sont avant tout ceux qui sont en situation de pouvoir qui donnent le ton, qui imposent la règle. Si le patron porte des tennis, l'employé peut s'y risquer. Mais si ce dernier en prend l'initiative, il réduit peut-être sa chance d'obtenir une promotion. Autrement dit, pour s'habiller comme les Américains, il faut penser comme les Américains. Croire à leur instar que la compétence personnelle l'emporte sur l'appartenance sociale exprimée entre autres à travers le vêtement. En France, l'habit ne fait plus le moine. À preuve, cette scène cocasse bien française : une manifestation d'agriculteurs de Beauce, de Bretagne ou de Lozère défilent à Paris contre Bruxelles et vocifèrent contre les États-Unis, la casquette de baseball yankee vissée sur la tête en place du béret ou du chapeau... Mais, si l'allure vestimentaire agricole a changé, le discours demeure cependant celui du campagnard en froc et sabots. Bref, en France, l'habillement fout le camp alors que l'esprit de la lutte finale perdure.

Les jeunes, eux, fascinés par les start-up, se veulent les disciples des gourous de Silicon Valley, apothéose, à leurs yeux, de la civilisation. Ils aspirent à gagner du fric au rythme et à l'échelle américains, communiquent entre eux en anglais et ont peu d'états d'âme pour leur culture à protéger. Et cet engouement pour la nouvelle économie qui ne prône comme valeur absolue que le fric et surtout le fric gagné rapidement commande l'admiration de tous, politiques et médias extasiés sur cette relève audacieuse. À preuve, dans *Le Nouvel Observateur*[1], l'on a pu lire que « les enfants du Net sont aussi subversifs que ceux qui montaient sur les barricades en mai 68 [...] À travers leur start-up, ils revendiquent de nouvelles valeurs : le droit de faire fortune, de prendre des risques, de refuser la hiérarchie. » Qu'on se le dise, le modèle américain à travers la lunette de cette

---

1. *Le Nouvel Observateur* du 8 juin 2000.

gauche française est désormais synonyme de subversion et l'appât du gain devrait être inscrit dans la charte des droits. Qui eût cru que les nostalgiques des révolutions du XXe siècle jetteraient leur dévolu sur les USA.

Les Français familiers des USA échappent à ces stéréotypes. Ceux qui connaissent son cinéma en parlent avec une compétence et une originalité exceptionnelles, les spécialistes de sa littérature sont des puits de connaissances et les industriels qui ont compris la logique du système y font des affaires d'or. Et tous apportent à l'Amérique ce dont elle est en quête, une dimension plus universelle donc moins impérialiste et moins isolationniste.

Combien de fois ai-je aussi entendu vos chantres du néolibéralisme, ceux-là mêmes qui souhaiteraient réduire l'État à sa portion congrue, me vanter le régime fiscal américain en oubliant que la voiture de fonction qui les attend est payée par les fonds publics, que leurs enfants qui deviendront médecins, avocats ou énarques étudient gratuitement, que leurs petits-enfants fréquentent des crèches publiques et que les pilules qu'ils avalent pour calmer leurs nerfs mis en boule par les « aberrations françaises » (eux aussi disent parfois « conneries ») leur sont remboursées par la Sécurité sociale. Faut-il préciser que je ne fais pas ici l'apologie du système fiscal français actuel mais l'américanofolie de cette catégorie de Français me sidère. Combien d'entre eux accepteraient par exemple de payer pour leur santé, leur retraite et, s'ils sont en politique, d'être sous les feux constants des médias, interrogés à la manière brutale voire inquisitoriale des confrères américains ?

Les Américains paient moins d'impôts que nous tous, l'État y est plus discret que dans la plupart des pays occidentaux mais en contrepartie ils paient le prix fort du libéralisme et consacrent une partie importante de leurs loisirs à des activités bénévoles. Pendant que l'État organise en France, vous le peuple pouvez tranquillement vivre, bouffer, vous amuser sans vous occuper de votre voisin. « J'en ai rien à foutre » est un autre de vos slogans. Aux USA, chaque citoyen participe à des activités communautaires ou humanitaires sans lesquelles la société ne pourrait efficacement fonctionner. Et les Américains subventionnent, à titre volontaire c'est vrai, les organismes caritatifs.

L'individualisme français aurait bien du mal à s'adapter à une pareille mentalité.

Je me désole de la distorsion française à l'endroit des États-Unis, pays qui me fascine, m'exaspère, me rebute et m'impressionne. Je regrette que la France ou bien les encense à l'extrême ou feint de les ignorer dans un suprême dédain qui témoigne d'un complexe d'infériorité qui ne dit pas son nom.

Le parisianisme ou la tribu branchée

Lorsque j'ai débarqué en France, bien résolue à nouer avec le pays une relation de fidélité toute conjugale, à vrai dire à l'ancienne manière, quand le divorce se pratiquait pour raisons de force majeure seulement, je m'estimais blindée pour affronter le parisianisme, cet obstacle sur lequel tant d'étrangers et de provinciaux avaient vu périr leurs ambitions faute d'avoir su pénétrer le milieu par effraction ou séduction. Les romans me l'avaient décrit, décrié ou encensé. Les journaux et revues que je lisais depuis le Québec en étaient imbibés, investis, infiltrés à la plus grande satisfaction des auteurs desdits articles, de leurs publics respectifs et pour le plus grand dépaysement de ceux qui, comme moi, posaient sur le phénomène le regard de Malinowski observant les Mélanésiens des îles Trobriand.

La première fois en France, je mis non seulement les pieds mais, je le confesse, les lèvres car en passant la frontière, venue de Bruxelles, je sortis de la voiture et baisai le sol selon l'habitude papale et ce, devant la mine estomaquée des douaniers qui se pinçaient pour y croire. Or, je savais qu'une autre frontière, plus complexe à délimiter, moins fluide à franchir, où le passeport définissant la citoyenneté n'est d'aucun secours, m'attendait à Paris. Ses gabelous intraitables n'accréditaient les membres qu'en fonction de critères subjectifs où l'idéologie, l'appartenance sociale, le paraître, l'intérêt et la réussite se chevauchaient, s'excluaient, s'additionnaient ou, mieux encore, se multipliaient.

Durant ce séjour, essentiellement touristique, je tâtai du parisianisme, si je puis m'exprimer de la sorte, en passant des heures attablée à des cafés historiques dans l'attente de l'arrivée de quelques-uns de ces fameux spécimens dont la figure m'était familière. Je ne vis ni Sartre, ni Malraux, ni Mauriac, ni même un acteur ou un cinéaste ou, faute de mieux, un écrivain moins célèbre que j'aurais repéré du seul fait qu'il écrivait, une tasse de café froid à moitié vide devant lui. Répétons-le, j'avais lu beaucoup de romans où l'on décrivait ce genre de scènes. Je flânai aussi autour de maisons d'édition prestigieuses où se croisaient sur les trottoirs et s'embrassaient des hommes à écharpe et vêtements froissés et des femmes peu maquillées portant des sacs profonds dont l'apparente lourdeur me faisait croire qu'ils contenaient leurs précieux manuscrits. Dans les 5ᵉ et 6ᵉ arrondissements, à l'allure, plusieurs ont des têtes d'écrivains ou d'intellectuels. Appelons cela le parisianisme ambulant.

Vivre à Paris ne garantit aucunement l'appartenance à ce parisianisme. Il faut y être introduit, reconnu d'abord non en fonction de sa compétence mais plutôt de la nouveauté qu'on nous attribue, de la force de l'air qu'on déplace, de l'exotisme qu'on dégage, du soufre qu'on distille, du dédain qu'on y éprouve pour ce qu'il convient d'appeler le monde ordinaire et l'honnête homme. Ce parisianisme s'enracine à droite comme à gauche encore qu'à gauche, sa virulence est proportionnelle à la foi égalitariste affichée. À cet égard, la gauche caviar représente l'apothéose du phénomène.

Les *parisianistes* vivent en autarcie intellectuelle, sociale, politique, morale voire culinaire. Et tout est affaire de timing[1]. On doit lire tel livre, voir tel film, boire tel vin, fréquenter tel restaurant, assister à tel spectacle au bon moment. Un mois plus tôt, six semaines plus tard, et cela devient plouc ou dépassé. Le parisianisme, à la manière des produits de consommation, est une denrée périssable mais, contrairement aux produits soumis aux impératifs physico-chimiques, ses pratiques relèvent plutôt de critères mystérieux voire ésotériques. Qui décide que Johnny Hallyday est in et Alain Delon off, que lire *Les Inrocks* est « classe », *L'Équipe* un « must », *Libération* incontournable, *Le Figaro* impérativement contournable, que Bernard Pivot est « has been » mais Jack Lang « hot » et que le dévoilement de la vie triangulaire de Sollers, Rolin et Kristeva fait chic et celle des Tartempion dans un de ces reality-shows télévisuels est un signe d'indigence sociale, voire d'aliénation.

---

1. Qu'on me pardonne ce mot anglais qui fait chic dans leur bouche.

À New York, le succès seul détermine l'appartenance au new-yorkisme. « If you can make it there, you'll make it anywhere[1] », chante Sinatra dans *New York, New York*. À Paris, la réussite ne garantit pas obligatoirement l'entrée dans la tribu parisienne. Il faut également penser du bon côté, aimer les icônes culturelles marquées du nihil obstat du clan auquel on s'identifie et cela en étant solidaires de spectacles qu'on a trouvés nuls, de livres qui nous tombent des mains, de chanteurs qu'on n'a jamais écoutés. Et s'impose la pratique du cynisme et de la dérision pour déstabiliser l'interlocuteur afin de discriminer les benêts des futés, lesquels sont introduits dès lors dans la « famille ». D'ailleurs, que l'on croie ou non à l'institution familiale, on aime à parler de « famille de pensée ».

L'on me permettra ici de revenir sur une tempête médiatique que j'ai déclenchée il y a quelques années et qui m'a permis de

---

1. « Si vous réussissez là, vous réussirez n'importe où. »

démonter la mécanique *parisianiste*. Au cours d'un passage à « Apostrophes », à l'occasion de la sortie d'un de mes romans, j'ai, c'est le cas de le dire, apostrophé Gabriel Matzneff, pédophile et orthodoxe pratiquant (à l'époque) invité pour venir discourir sur son *Journal*. Dans l'ouvrage, qui précisons-le n'est pas un roman, l'auteur racontait, au fil des pages, ses passionnantes activités parisiennes dont la sodomisation de jeunes garçons et filles (15-16 ans), victimes consentantes et flattées des attentions matzneffiennes. La lecture de ce livre m'avait révoltée et j'avais décidé d'affronter ce personnage qui utilisait sa notoriété douteuse afin d'attirer les enfants dans ses rets. Prévenue par mon éditeur du tort que risquait de subir mon livre en provoquant un esclandre face à ce pur (si l'épithète s'applique) produit branché du parisianisme littéraire, je me préparai mentalement à assumer les retombées éventuelles mais sans y croire vraiment. Car, dans ma naïveté, j'étais convaincue que cet étalage « pédophilique » (on dit bien médiatique) n'allait pas trouver de défenseur hormis les pédophiles eux-mêmes, lesquels se réjouiraient en silence. Quelle erreur de jugement de ma part !

Les « amis » de G. M. montèrent aux barricades. Dans *Le Monde*, Josyane Savigneau (de la part d'une femme, cela me stupéfia) se commit d'un long papier à la défense de Matzneff, coiffé du titre « L'homme qui aime l'amour ». Philippe Sollers, à la télévision, me traita de mégère et de mal baisée. Dans *Libération*, Jacques Lanzmann me descendit en flammes et le roman par la même occasion, en reprenant les arguments étoffés de son camarade ex-maoïste. Il termina sa « critique » en me conseillant de retourner sur mes banquises. Autrement dit, il m'invitait à me congeler le cul faute de l'utiliser.

Je considérai d'abord que l'expression « mal baisée » constituait un affront aux hommes québécois, particulièrement ceux qui ont traversé ma vie amoureuse mais la violence des propos publics des amis de Matzneff, leur propre indécence et, je dirais, l'immunité dont ils bénéficiaient au sein de leur mouvance gaucho-décado-littéraire en disaient long sur leur réseau parisien. Je doute que la plupart ait pris la peine de lire l'ouvrage en question. Leur défense procédait d'une réaction classique d'autant plus exacerbée qu'il s'agissait de ma part, à leurs yeux, d'entraver la libre expression de la sexualité.

Quelques jours plus tard, le président Mitterrand me reçut à l'Élysée. Je savais que l'ouvrage de Matzneff avait gêné la Présidence. En effet, dans ce même journal, l'écrivain racontait un déjeuner à l'Élysée auquel il avait été invité et citait François Mitterrand qui lui aurait déclaré alors : « Cher Matzneff, continuez votre bon travail. » Or, comme ce dernier nous avait décrit avec forces détails ses prouesses de séducteur sodomiste la veille du repas élyséen avec une « petite oie » de quinze ans et demi du lycée Henri IV, le lecteur ne savait plus si les félicitations présidentielles étaient applicables à l'œuvre littéraire de l'auteur ou à ses ébats sexuels. Bref, le président était embêté et il voulait le faire savoir. « Alors, ce Matzneff, vous l'avez malmené, me dit-il avec un sourire entendu. Il est vrai, enchaîna-t-il, que je lui ai jadis reconnu quelque talent et une certaine culture. Malheureusement (sa voix se fit théâtrale), il a sombré dans la pédophilie... et la religion orthodoxe ! — Dans mon pays, il serait mis en prison, monsieur le président, ajoutai-je.

— Ah ! fit-il en balayant l'air de son bras, vous les connaissez comme moi ces intellectuels parisiens. Ils sont si obsédés de paraître libéraux, surtout en ces matières si délicates, qu'ils errent. » Puis, il changea de sujet de conversation. « Comment vont vos amis de droite ? » me demanda-t-il, l'air de dire : « Parlons de choses sérieuses. »

Car l'étrangère qui circule en parisianisme au gré de ses affinités personnelles plutôt qu'idéologiques possède ce privilège envié de fréquenter à droite comme à gauche. Ce théâtre incessant ne m'a jamais déçue ; je ne m'y suis jamais ennuyée d'autant que les uns et les autres, libérés de l'obligation d'impressionner les laudateurs ou les adversaires, parlent plutôt vrai. J'en veux pour preuve mes nombreuses entrevues avec des personnalités politiques françaises réalisées pour la télévision canadienne et que la télé française n'a jamais cru bon de rediffuser sur le territoire. Le public n'y aurait pas reconnu certains ministres tellement leur discours avait perdu de cette raideur empesée à laquelle ils l'avaient habitué.

Le parisianisme est volatile dans ses engouements et ses convictions. Depuis l'affaire Dutroux, aucun des défenseurs de Matzneff n'oserait récidiver. Car les adeptes de ce parisianisme — appelons-le tendance trash — ont un courage inversement proportionnel aux risques encourus. Aujourd'hui les maisons d'édition où ils publient, les journaux aux budgets desquels ils émargent, les radios qui les accueillent ne toléreraient pas leurs déclarations apologétiques d'hier. Ils officient donc pour d'autres combats, ceux qui sont in une semaine, un mois, six mois.

Les *parisianistes* de gauche ou de droite éprouvent avec frénésie le sentiment de faire l'Histoire. Ils sont de leur temps ou plus exactement de leur instant. Leur système de pensée, leurs références culturelles, jusqu'à leurs manies ont, croient-ils, valeur universelle. J'en veux pour preuve la visite que me rendit un de mes amis, intellectuel hexagonal brillant, ayant feu et lieu dans une splendeur familiale du 7e arrondissement de Paris. Les amis montréalais auprès desquels je l'introduisis visiblement le dépaysaient. Pourtant, leurs qualités intellectuelles faisaient éminemment le poids avec son cerveau

Normale sup. Son comportement me déçut d'abord puis très vite me choqua. Il ne s'adressait à eux qu'en se référant aux codes français, aux journaux français, à la politique française. Mes amis et moi avons même subi, ahuris — lui ne le remarqua guère, appliqué à nous instruire —, un exposé pédagogique sur la stratégie à suivre au Québec dans ses relations avec Ottawa. Et le comble fut atteint lorsque mon désormais distancé ami demanda à un voisin de la campagne, fermier de son état, s'il avait lu récemment *Le Nouvel Observateur*. « C'est quoi le nom de l'observateur ? » lui fut-il demandé. Il crut d'abord à une blague puis, se ravisant, reprit son ton magistral pour expliquer à ce cultivateur québécois les diverses tendances de gauche réunies au sein de la rédaction de ce célèbre, et néanmoins inconnu dans nos contrées, magazine. « Il est pas habitué à rencontrer du monde comme nous autres, me dit mon futé compatriote le lendemain. Sont-tu tous comme ça en France ? »

Ce spécimen parisien est inexportable. Son univers couvre quelques arrondissements de la capitale dont il cherche les échos dans ses voyages fréquents à l'étranger. Pourtant ses semblables et lui sont ceux-là mêmes qui reprochent aux Américains leur isolationnisme.

Malheureusement, rien n'est plus local que ce parisianisme vécu comme universaliste. Par contre, personne n'est plus brillant et drôle que les aficionados de ces réseaux mystérieux, inextricables, qui pratiquent la cooptation dans les maisons d'édition, la presse, les médias électroniques et les institutions laudatives. Serrant les rangs, ils se mobilisent derrière des causes qu'ils décrètent à l'ordre du jour, signant des pétitions et organisant des colloques où ils s'auto-indignent et bien sûr s'autocongratulent. Ils adoptent, selon les périodes, des exploités d'un coin du monde où ils se rendent volontiers sauf en cas de risques pour leur vie. Ils changent d'opprimés quand la lassitude les gagne ou que leurs opprimés les déçoivent. Les Québécois ont bénéficié dans le passé de ce traitement de faveur, d'abord à droite et plus tard à gauche. Je crois même que nous avons été remplacés par les Sahraouis, lesquels se sont évanouis depuis de leur champ critique, bien que vivant toujours une situation bien critique...

Les clans ont tendance à s'entre-déchirer bien que les récentes années aient vu s'atténuer les empoignades. À cause du ramollissement idéologique généralisé de la vie politique mais aussi parce que les parisianistes de l'an 2000 souhaitent désormais, en plus de la reconnaissance de leur clan, le plébiscite de la masse. Il leur importe désormais d'être aux côtés de Barbara Cartland sur la liste des best-sellers ou d'être invités chez les virtuoses de l'audimat. Bref, leur besoin d'être aimés est aujourd'hui proportionnel à leur obsession d'être dans le courant. La célébrité vaut tous les visas intellectuels d'antan. Et peu leur chaut qu'on leur rappelle, ils décréteront un nouvel effet de mode à la française instituant le hit-parade comme valeur démocratique suprême.

L'égalité des sexes à la française

C'est inscrit dans la langue. En français, le masculin l'emporte sur le féminin. Et bien que les hommes français aiment croire que leur esprit échappe aux stéréotypes et aux généralisations, ils ne s'empressent guère de contredire quiconque affirme leur suprématie dans l'univers amoureux. L'amant français maintient sa cote, en particulier en pays anglo-saxon. C'est si vrai que les Québécois francophones bénéficient du même ascendant sur leurs compatriotes canadiens.

Vos confidences à vous les femmes, étalées à la une de tous les magazines de presse écrite ou télévisuelle, nous font découvrir une réalité moins flamboyante de la performance de vos hommes. Le Français du métro-boulot-dodo serait fatigué et spectateur sans enthousiasme de vos revendications plus que mesurées, sa capacité de pavoiser est à la baisse. Inquiet, le Français, en amour, ne serait plus le nombril du monde si d'aventure il l'a été.

Vous vous êtes toujours leurrés en affirmant que votre spécificité culturelle vous mettait à l'abri de ces calamités américaines que sont la violence urbaine, l'idéologie du politically correct, le féminisme combattant et l'éclatement du couple. « Jamais cela n'atteindra la France », me suis-je fait répéter à gauche comme à droite.

Lorsque j'ai publié *La Déroute des sexes*, nombreux sont les hommes, éditeurs, critiques, qui assuraient que cette déroute ne se vivait pas en France. Les lectrices leur ont donné tort. Toutes les femmes se reconnaissaient dans les situations que je décrivais. Les relations entre les hommes et les femmes, différentes bien sûr de celles qui existent en Amérique du Nord, n'en sont pas moins en effervescence. Sauf qu'en France la femme s'érige en protectrice du seul pouvoir qu'on lui a toujours reconnu et jamais contesté : la séduction. Pour rester séduisante aux yeux des mâles, elle déploie ses talents de mystificatrice et, disons-le franchement, de manipulatrice comme peu de femmes nord-américaines oseraient le faire.

La Française, cela inclut la très jeune fille, se résigne à jouer la naïve, voire l'idiote pour ne pas porter ombrage à l'homme qu'il soit mari, amant, patron ou camarade. Dans les dîners en ville, ce sont les hommes qui donnent le ton de la conversation. J'ai même assisté, fascinée, à un dîner où une ministre battante jouant la coquette semblait n'avoir d'idées que celles mises en avant par les mâles attablés qui cherchaient son attention. Par son acquiescement et ses sourires dès que l'un d'entre eux s'excitait à démontrer sa culture et sa singularité intellectuelle à « Mme le ministre », elle laissait croire qu'il lui révélait des choses essentielles. « Vraiment », « surprenant », répétait-elle à chacun, à tour de rôle.

La Française se fait donc un devoir de mettre l'homme en valeur, en échange de quoi lui se montre galant et flirte volontiers, ce qui rend les relations entre les sexes fort agréables. Superficiellement du moins, car si le vocabulaire fout le camp, la galanterie est en voie d'effritement.

Le mâle français découvre, à son tour, les avantages de l'égalité des sexes. La nouvelle autonomie des femmes le libère apparemment de son obligation à cette galanterie séculaire qui inclut de ramasser la note au restaurant, de se lever à l'arrivée ou au départ d'une femme, de lui ouvrir la portière de la voiture, bref de lui rendre ces petits hommages qui faisaient des rapports entre les sexes en France un modèle du genre.

Les femmes qui revendiquent leur indépendance, mènent des carrières prestigieuses et disputent le pouvoir aux hommes commencent à comprendre qu'elles doivent en payer le prix. Car les Français, aussi différents soient-ils des Américains, se délestent à leur tour de leurs attributs de séducteurs. « Pourquoi se donner tant de mal à séduire si c'est pour en arriver à l'égalité ? » ont-ils l'air de penser.

Les relations entre les sexes se modifient donc sensiblement. Désormais le coq français se fait même rabrouer, en particulier par les jeunes filles. Mais cela semble plus vrai à Paris qu'en province où, dans le Sud par exemple, le macho continue son règne. Bien entendu, avec la complicité des femmes qui acceptent de vaquer seules aux tâches domestiques qui pourraient être partagées par le couple. Combien d'hommes ne savent même pas où trouver les verres à la cuisine et prennent pour acquis que le service à table est une prérogative d'essence féminine. Au Québec, les rôles inversés stupéfient les Français qui débarquent. Bien sûr, l'inconvénient pour celui qui assure l'intendance est d'être plus ou moins exclu de la conversation. Les Français s'en accommodent s'il s'agit des femmes mais le contraire les choque. Encore ce paradoxe français : défendre à cor et à cri l'égalité des sexes, se dire même féministe (nouveau chic chez les hommes) sans lever le petit doigt à table.

Si la France réussit à maintenir une représentation féminine au sein de l'État qui se compare avantageusement avec celle de la plupart des pays occidentaux, à l'exception de la Scandinavie, de la Finlande et de l'Islande, champions de la représentativité féminine, dans le monde des affaires la partie est loin d'être gagnée. Car si les lieux du pouvoir politique deviennent accessibles à plus de femmes, là où se trouve l'argent celles-ci sont quasi absentes. La poule aux œufs d'or appartient toujours aux coqs. On en veut pour preuve la rubrique « État-Major » du magazine *Le Point* qui présente chaque semaine l'organigramme d'une entreprise française. Sur une période de quatre (4) mois, je n'y ai comptabilisé que trois pour cent (3 %) de femmes et encore ces cadres supérieures œuvraient en relations humaines ou en relations publiques, secteurs d'exécution et non de décision. Comme quoi les mentalités évoluent plus lentement que le laissent croire le discours officiel et les politiques d'égalité des sexes.

J'ai récemment vécu une expérience qui m'a ramenée à un temps révolu dans mon pays au point d'avoir oublié ce type de comportement jadis la norme chez nous comme ailleurs. À la recherche d'un appartement à Paris, j'ai goûté aux préjugés plus ou moins subtils des agents immobiliers. « Où est le mari qui va payer l'ardoise ? » avaient-ils l'air de demander. En entrant dans les agences, j'avais toujours le sentiment qu'ils cherchaient l'homme par-dessus mon épaule. J'ai cru bon, au moment de choisir le pied-à-terre de mes rêves, de me faire accompagner de deux amis, assurée que leur testostérone favorisait la vente.

Si la gauche a tenté de récupérer le féminisme à son profit, personne n'est dupe. À gauche comme à droite, le machisme ordinaire se vit au quotidien. J'ai écouté poliment des Français de gauche discourir sur « le combat fondamental et révolutionnaire de la transformation des rôles » pendant que leurs compagnes, discrètes pour ne pas dire muettes, s'assuraient de la bonne marche de la maison et du coucher des enfants. J'ai entendu des Français de droite, mûrs sans doute pour le Viagra, ridiculiser les féministes, les qualifiant « de frustrées, d'agressives et de lesbiennes plus ou moins avouées ». Ces mêmes grands hommes se promènent au bras d'épouses qui, en échange de leur soumission, tiennent ces messieurs en laisse. J'ai vu l'une d'elles distribuer à son époux, une sommité intellectuelle, ses médicaments qu'elle gardait dans son sac à main. Elle prétextait que la distraction du mari à les prendre à heure fixe pouvait lui être fatale. Devenue indispensable, elle ne le quittait plus d'un pouce, d'autant que le cher homme ne conduisait plus sa voiture — la distraction toujours. Sans doute se vengeait-elle de toutes les infidélités que la rumeur parisienne attribuait à ce penseur pénétrant. Le beau pouvait toujours déblatérer sur les féministes, castratrices sans vergogne, qui n'avaient plus besoin des hommes.

Dans l'histoire récente de l'émancipation des femmes, il faudra inscrire à l'encre noire le nettoyage sexiste (comme on dit nettoyage ethnique) entrepris un jour par Alain Juppé alors Premier ministre quand il congédia la quasi-totalité des femmes de son gouvernement. Dans un pays à la mentalité moins machiste, l'on serait descendu dans la rue devant une décision politique aussi radicale que provocatrice. Et pourtant, malgré quelques remous, le Premier ministre d'alors en est sorti indemne, alors que c'est sur ce geste qu'il aurait dû déménager de l'hôtel Matignon. Avouons que la donne a changé et que le Premier ministre actuel, sous l'influence peut-être de son épouse, militante féministe et fière de l'être, n'oserait agir de la sorte sans risquer l'éclaboussure politique et pis encore, qui sait, la scène de ménage.

La polémique sur la féminisation des mots est un bon indice de l'état d'esprit qui règne dans votre pays. D'ailleurs, vous vous êtes tournés vers le Québec qui, sans crainte de sacrilège linguistique, a adopté la politique de féminisation du vocabulaire la plus avancée de la francophonie. Cette politique correspond évidemment à l'évolution des mentalités dans le combat pour l'égalité des sexes. Une écrivaine, Mme *la* ministre, une auteure, une mairesse, une rectrice, tous ces mots intégrés à la langue d'usage et qui ont donné des hauts-le-cœur à certains membres de l'Académie française, ne retroussent pas le poil des jambes — expression locale — des Québécoises qui de toute façon se les rasent.

Je comprends mon amie Hélène Carrère d'Encausse lorsqu'elle m'explique qu'il valait mieux qu'elle entre à l'Académie française en acceptant, contre des votes en sa faveur, de ne pas s'adresser à ses pairs au moment de son discours d'investiture en disant Messieurs et « Mesdames » les Académiciens plutôt que de permettre à un autre homme de perpétuer l'inacceptable quasi absence des femmes. Les odieux sont ceux qui ont exigé ce troc infâme qu'Hélène Carrère d'Encausse m'a exposé dans un entretien pour la télévision canadienne. Je ne brise donc pas un secret en racontant ici l'anecdote. Élue par la suite secrétaire perpétuelle, elle rompt de la sorte une tradition atavique. Qui lui fera reproche du « Messieurs les Académiciens » qui incluaient aussi la grande Jacqueline de Romilly ? Car, ne soyons pas dupes, ne vaut-il pas mieux occuper les fonctions que les mots puisqu'on sait, à l'usage, que la féminisation du vocabulaire s'effectuera forcément mais n'abolira pas pour autant les inégalités salariales, comme elle n'a pas transformé les parlements ni les autres lieux de pouvoir de façon drastique ?

Cette féminisation, appliquée à la manière québécoise, n'a pas toujours su échapper au ridicule. J'avoue qu'il m'arrive de résister moi-même à certaines tournures. Je n'aime pas beaucoup être une écrivaine, le vaine m'embête. Mais ce qui m'ennuie davantage, c'est de constater que le vain de l'écrivain me laisse indifférente. Aussi, lorsque je vois des Français monter aux barricades — alors qu'en d'autres circonstances ils seraient plutôt ceux qui les démoliraient — afin que la présidente de la République (hypothèse fantaisiste) n'existe pas, je m'interroge sur ce que cache cette opposition si passionnelle.

Les mots, insistons là-dessus, ne sont jamais innocents.

N'est-ce pas cette logique qui a animé les instigatrices de ce mouvement surprenant, « Les Chiennes de garde », et qui regroupe des hommes et femmes impatients d'en découdre avec les insulteurs sexistes ? J'admets que l'expression « chiennes de garde » me répugne, d'autant que traiter une femme de chienne au Québec compte parmi les offenses les plus violentes et les plus dégradantes. Ce combat, nécessaire et symbolique du fait que des hommes y participent, demeure pour moi une expérience typiquement française pour juguler une violence verbale archaïque dirigée contre les femmes. On pourrait argumenter sur le bien-fondé de censurer ces éructeurs qui, tel le chien de Pavlov, crient « salope » lorsqu'ils entendent le mot « femme ». Doit-on les réprimer ? Est-ce la liberté de parole contre le politiquement correct ? Difficile de trancher ici entre les principes en cause, celui du respect de la dignité humaine en premier lieu.

« Jamais la façon américaine d'aborder le féminisme n'atteindra la France », répétez-vous en chœur comme un leitmotiv. Je veux bien le croire. Sauf qu'il y a derrière cette affirmation une conviction de la supériorité française dans la qualité des relations des hommes aux femmes qu'infirment les sexistes de tout acabit. Cette conviction est pourtant partagée par les deux sexes, désireux à tout prix d'éviter la guerre. Cela est compréhensible mais ne signifie pas que l'égalité triomphe, que les femmes battues ou harcelées sexuellement n'existent pas. Cela veut surtout dire que la Française, portée par sa culture amoureuse, avance avec précaution et modération sur le terrain glissant de la revendication. La France ne demeure-t-elle pas un des pays où l'expression « féministe » recouvre la connotation la plus péjorative ? Certaines femmes préfèrent de beaucoup parler de problématique « féminine », pour bien marquer leur différence, leur rejet de toute cause extrémiste et souligner leurs bons rapports personnels avec les hommes. Comme si elles redoutaient avant tout l'opprobre verbal masculin qui consiste à proférer ces « espèce de mal baisée », « ménopausée », « frustrée ».

Cette féminité qui caractérise la Française, particulièrement aux yeux des étrangers, représente à la fois un piège et une contrainte. Dans quel autre pays la beauté et l'élégance sont-elles obligatoirement accolées aux compétences professionnelles ? Une ministre française se doit d'être belle ou élégante. Élisabeth

Guigou, incarnant les deux, devient la Catherine Deneuve du gouvernement. Martine Aubry se sent, elle, obligée de porter un foulard Hermès et de se faire photographier en train de cuisiner. Quant à Ségolène Royal, comme une star de cinéma, elle laisse les caméras la « surprendre » à la maternité. Depuis quand s'interroge-t-on sur l'embonpoint et le sentiment paternel des ministres hommes ? Depuis quand les présente-t-on dans la presse en écrivant : « Il est séduisant, ses yeux sont irrésistibles », comme je l'ai lu au sujet d'Élisabeth Guigou, d'Alliot-Marie et de quelques autres femmes publiques ? Ça n'est pas une insulte, rétorqueront certains. Cela va sans dire, mais les ministres n'ont pas à remporter un concours de beauté. Elles occupent leurs fonctions par compétence. Le rappeler semble en France une incongruité.

Phénomène intéressant, en particulier pour les psychologues sociaux, l'ouverture d'esprit d'une société à l'égard des homosexuels semble directement proportionnelle à son attitude face à ce qu'on appelle, faute de mieux, la cause des femmes (les facétieux diraient, eux, à cause des femmes). Chez vous, depuis peu, les homosexuels sortent du placard où les préjugés les avaient enfermés. Cela suppose un recul du machisme et une acceptation de la transformation des rôles féminin et masculin. Les valeurs patriarcales s'érodent. Vous êtes passés du Père sauveur, de Gaulle, à Tonton Mitterrand, pour vous retrouver avec le copain Chirac. Il y a là une évolution de la conception même de l'autorité symbolique masculine. Ceux qui y voient une dégradation sont les mêmes qui continuent de s'opposer aux revendications des femmes alors que ceux, de plus en plus nombreux, qui avec elles espèrent les changements, ceux-là annoncent une nouvelle France sentimentale plus égalitaire donc plus conforme à sa devise, mais dommageable à sa réputation ! Car, si la galanterie française, aussi encensée que sa cuisine, se résorbe parce qu'elle n'était qu'une monnaie d'échange contre la soumission féminine, les femmes du monde entier vont se languir du mâle français, cette espèce en voie de disparition. À moins que, survivant au changement de rôle, la galanterie triomphe. Vous confirmerez alors votre singularité dans les relations entre les sexes et ferez l'envie de la terre entière.

Entre l'arrogance et l'autoflagellation

« On est des cons, mais supérieurs aux autres. » Telle pourrait se résumer en une phrase votre attitude dans le domaine culturel. Et la consécration de l'état d'esprit français en la matière fut atteinte au cours d'une déprimante soirée des Victoires de la musique de l'an 2000 transmise dans le monde par TV5. La volonté des organisateurs d'éradiquer la chanson d'expression française au profit d'un méli-mélo multiculturel plus ou moins heureux, où les bons sentiments et le politiquement correct le disputaient à la bêtise, témoignait d'une amnésie culturelle et d'un mépris du bon sens. Et il y eut pire. Ce fut de voir vos élites culturelles et médiatiques se faire insulter dans les termes les plus grossiers par des rappeurs d'un soir. Ces élites riaient, crispées, tout en applaudissant abondamment de peur, je suppose, d'être taxées de manque d'humour et de conservatisme puisque accepter en riant de se faire traiter de con ou d'enculé est devenu la marque d'une ouverture d'esprit louable, rien de moins que la version moderne de la tolérance. Brassens, Leclerc, Brel se sont sûrement retournés dans leur tombe.

Les non-Français de souche ou de culture ont le vent dans les voiles dans le domaine de la chanson. Cela est juste et bon, pour reprendre le vocabulaire liturgique. L'apport ethnique enrichit la chanson française en y introduisant une sensibilité, un rythme et souvent une audace qui tranche avec le conformisme d'une certaine chanson populaire. Comme la vertu, le métissage culturel fait l'unanimité. Est-on obligé pour autant d'encenser un taggeur beur sans talent, un rappeur noir insignifiant ou une chanteuse insipide d'origine juive nord-africaine ? Cette façon d'évaluer porte un nom : racisme à rebours, encore que le rebours soit redondant. Or cette tendance se vérifie particulièrement dans le domaine du show-business. Certains rétorqueront que le public tranchera, qu'il s'agit d'une ouverture nécessaire favorisant l'intégration et que la France doit réparer le racisme colonial. Ce confiteor, le poing sur la poitrine, si bien décrit dans *Le Sanglot de l'homme blanc*[1] se retrouve à pleines pages dans les sections culturelles de la presse française. Dans le domaine de la chanson en particulier, la langue française est devenue suspecte aux oreilles de plusieurs qui préfèrent l'anglais ou toute autre langue plutôt que la leur.

Pas étonnant que je me sois retrouvée sur des plateaux de télé en France à défendre la langue française face à des compatriotes à vous ricanants qui me considéraient comme une ringarde attardée. Le syndrome Le Pen éclabousse le champ culturel au point que l'affirmation de la tradition culturelle française devient suspecte. Pourquoi faudrait-il s'excuser de se référer à Trenet, Ferrat, Bécaud, Montand, Piaf plutôt qu'à Nique ta mère ?

Par contre, l'absence à la télévision de gens de couleur, euphémisme pour parler

---

1. Pascal Bruckner, *Le Sanglot de l'homme blanc*, Seuil, 1983.

avant tout des Noirs rebaptisés blacks évidemment et des Arabes relookés beurs, cette absence n'est que depuis peu montrée du doigt. La télévision française est si blanche, a si peu d'accent qu'elle renvoie une image absolument déformée de la réalité de votre pays. Cette insensibilité, que certains ont vite fait de qualifier de racisme, correspond à la perception culturelle que vous avez de vous-mêmes. Pour vous, la chanson vit désormais au rythme multiethnique, le cinéma est dominé par les USA, alors reste la télé, votre chasse gardée à vous Français de l'époque « Astérix ». La littérature, l'information et la discussion appartiennent donc aux « Astérix », vos journalistes et présentateurs que vous n'imaginez pas noirs ou de toutes autres couleurs si l'on en croit les responsables du petit écran.

« On n'a pas de pétrole mais on a des idées », a déclaré un jour votre ex-président Giscard d'Estaing qui avait eu, lui, l'idée lumineuse de s'adresser en anglais à la télévision devant la France entière le soir de son élection, façon de montrer son ouverture d'esprit au reste du monde, ce reste étant les États-Unis évidemment. Imagine-t-on le contraire ? Bush ou Gore parlant espagnol ou russe ou français dans les minutes suivant leur victoire ? La sentence de Giscard exprime le paradoxe français, ce mélange de hauteur, de dédain et de déprime. Cette formule : « Nous, on a les idées », ressemble à s'y méprendre à celle des Américains : « Nous, on est les plus forts », qui vous fait bondir à juste titre.

Dans le domaine culturel, vous traitez trop souvent les non-Français, Québécois, Suisses, Belges, Africains, avec l'outrecuidance que vous font subir les Américains. Mais, au contraire de ces derniers, vous vous sentez en même temps complexés, ayant apparemment perdu la fierté légitime d'appartenir à une civilisation marquante.

En littérature, pour être porté aux nues, il vaut mieux être un auteur anglo-saxon que francophone. Et malheur à l'auteur français trop populaire. On lui préfère et de loin les auteurs de best-sellers étrangers en traduction qu'on recense avec une complaisance littéraire et un intérêt quasi anthropologique. Les romans anglo-saxons, tous genres confondus, ont une longueur d'avance, peu importe leur qualité. On leur attribue des vertus avant même de les avoir lus, a-t-on parfois l'impression. Faut-il préciser ici que j'ai moi-même un faible pour les auteurs anglo-américains qui savent raconter une histoire sans états d'âme et avec un humour difficilement traduisible. Je déplore simplement cet aplaventrisme en contrepartie duquel l'on jette sur la littérature francophone un regard distrait, amusé ou étonné lorsqu'on lui trouve quelque mérite. C'est québécois donc folklorique, c'est africain donc exotique, c'est libanais donc chargé de fioritures d'écriture. Vous préférez de beaucoup être dépaysés par des étrangers que par ceux qui partagent avec vous une langue ou une culture communes. À vrai dire, vous avez du mal à accepter la littérature écrite en français mais avec une sensibilité, un imaginaire, un style, un rythme qui ne s'inscrivent pas dans la tradition française. Vous adoptez des auteurs francophones à la condition que vous reconnaissiez ces derniers, les compreniez et puissiez vous identifier à eux. Amin Maalouf, Tahar Ben Jelloun, Hector Bianciotti, tous talentueux par ailleurs, ont intériorisé les valeurs françaises et l'idée que la

France se fait d'eux. Ce qui vous permet aussi de vous dédouaner et de clamer haut et fort votre ouverture aux autres cultures.

Dans les rapports sociaux, bien que vous soyez de grands admirateurs de l'efficacité nord-américaine, vous n'arrivez pas encore, malgré vos efforts récents, à réduire les obstacles et les complexités inutiles qui empoisonnent votre vie quotidienne. « Pourquoi faire simple lorsque tout peut être compliqué ? » semble la devise officieuse de la France. Ce trait culturel est si ancré dans votre mentalité que plusieurs d'entre vous ont l'air d'imaginer qu'il a valeur universelle.

La compétition obligée dans le contexte de la mondialisation économique s'accommode mal d'un pareil fonctionnement. Nous évoluons rapidement vers une efficacité à l'américaine, affirment les banquiers. Alors, qu'on m'explique pourquoi j'ai dû expédier moult fax et lettres informant la banque de mon changement d'adresse dont elle ne tenait pas compte en m'expédiant le courrier à l'ancienne résidence. J'ai découvert finalement l'explication. Les divers services responsables d'un compte étranger ne logent pas à la même enseigne, donc ne

communiquent pas entre eux. La succursale
où se trouve le compte n'est pas celle qui
expédie les états de compte. Et ce dédouble-
ment non résolu à l'ère de l'ordinateur ne
surprend guère le personnel, aimable par
ailleurs, qui six mois plus tard tente d'« ajuster les données du dossier » !

À cet égard, votre patience me renverse.
Non seulement vous faites la queue sans rechi-
gner, au cinéma, à la boulangerie et, comble
de paradoxe, devant les boutiques au moment
des soldes, mais vous vous laissez traiter
par les commerçants de tous genres comme
des imbéciles. À la Grande Épicerie du
Bon Marché, endroit chic, branché, inspiré
des comptoirs d'alimentation d'Harrod's à
Londres et de Bloomingdale's à New York,
j'ai assisté, estomaquée, à une scène qui
résume à elle seule un certain esprit retors
français. Après avoir fait la queue une ving-
taine de minutes, le client devant moi, qui
poussait un chariot rempli à ras bord, s'est fait
rembarrer sadiquement par la caissière tout
heureuse de l'informer que les caisses avec
chariots se trouvaient à l'autre extrémité du

magasin. « Pourquoi ne l'indiquez-vous pas ? » demanda le pauvre homme dont on s'attendait à ce qu'il lui saute à la figure ou éclate en sanglots. « C'est le règlement. Vous devriez le connaître », lui fut-il répondu par l'employée visiblement enchantée d'exercer le seul pouvoir que lui accorde son statut de caissière. Autour, les clients réagissaient diversement. Quelques-uns protestaient, d'autres, l'air dégoûté, se taisaient, mais la plupart semblaient satisfaits. Tant pis pour lui, devaient-ils se dire, car vous aimez souvent voir les autres pris en défaut. Pour vous récompenser de vous conformer en de trop nombreuses circonstances je suppose. Quant au client, retrouvant son sang-froid, il tenta une dernière fois de convaincre l'employée d'accepter son chariot. Elle prit alors à témoins les impatients que nous étions tous à vouloir régler nos achats. « Je ne peux pas encaisser avant qu'il retire sa marchandise, lança-t-elle. — Ça suffit, hurla un homme d'âge mûr sortant du rang. Retirez-vous, monsieur, le règlement, c'est le règlement. » Ce que fit le pauvre qui s'éloigna en abandonnant le fameux chariot qui contenait le dîner pour huit personnes qu'il avait soigneusement choisi.

C'est une vérité de La Palice, vous râlez.
Or, nommez-moi un pays où les grèves,
spontanées, perlées, sauvages, symboliques,
légales font un ravage perpétuel comme chez
vous. Râleurs, vous les Français ? Patients
plutôt, trop patients vous qui, bon an mal
an, vous faites désorganiser vos départs en
vacances, bloquer les rues de votre ville, vos
autoroutes, vos transports en commun. Rési-
gnés à vrai dire, vous semblez croire que ces
chambardements non seulement sont nor-
maux mais qu'ils participent d'une espèce de
fatalité de la vie à la française qui se doit
d'être compliquée et embarrassante.

J'en veux pour preuve les quatre longs
mois où l'ascenseur de mon immeuble de
sept étages n'a pas fonctionné. Mes voisins,
dont certains fort âgés, se sont à peine
plaints. J'en informais mes invités durant les
quelques semaines où, séjournant à Paris,
j'organisais des dîners. Seuls mes compatriotes
manifestaient des réticences à monter six
étages. Vous les Français, haussiez les épaules
l'air de dire : « On a vu pire. » En Amérique,
non seulement les habitants de l'immeuble se
seraient immédiatement regroupés pour voter
les réparations nécessaires mais la sécurité,

les pompiers et l'office régissant les droits des locataires seraient intervenus. Bref, au bout de trois jours, l'ascenseur aurait été mis en état de marche. Vous, vous maugréez et rechignez sans doute pour vous donner l'illusion que vous contrôlez les situations qui vous échappent ou que vous subissez. L'agressivité verbale vous rassure sur la vision héroïque que vous avez de vous-mêmes. Vous gueulez, fiers de montrer votre force, mais évitez d'en arriver aux coups. Heureusement, car les complications inutiles créées par une volonté, inconsciente sans doute, de rendre l'accessible inaccessible, pour mieux l'apprécier peut-être, auraient vite fait de transformer la France en un ring de boxe permanent. Transportons l'incident de la Grande Épicerie aux USA et le client aurait dégainé. Vous, au contraire, faites la preuve quotidienne de votre adaptabilité infinie. À moins que vous estimiez que la simplification des rapports sociaux entraîne un affadissement de la vie collective. Les femmes apprennent toutes jeunes qu'il faut souffrir pour être belles. Le Français, lui, découvre dès l'âge de la poussette qu'il faut mériter de vivre en France.

Vivre dans votre pays représente donc une épreuve parfois insurmontable pour quiconque n'est pas familier avec un ensemble de codes multiples et surtout contradictoires, car vous redoutez l'uniformisation. Ce qui ne vous empêche pas de partir en vacances tous ensemble pour triompher des bouchons et en conclure que vous avez su vous débrouiller alors que les autres n'y sont pas parvenus. À vrai dire, chacun adore se donner l'illusion d'avoir été élu, d'être un privilégié, de se singulariser parmi ce troupeau que constituent ses compatriotes. En compliquant les gestes de la vie quotidienne, vous parvenez à ressentir cette émotion. L'obtention d'un rendez-vous médical avec « le meilleur, un grand ponte » remplit de satisfaction et la concierge (qui y arrive grâce au médecin de son immeuble qui la chouchoute) et le P-DG (dont le père est un ami du manitou). De bas en haut de l'échelle sociale, l'on finit toujours par devenir un privilégié, ce qui a pour résultat d'atténuer quelque peu les affrontements de classe si chers aux communistes jurassiques.

Malheur, cependant, à ceux qui ne peuvent tirer leur épingle du jeu, ces « cons »

qui n'inspirent que dédain, ces idiots qui se
font avoir. J'ai observé, un jour, dans un
grand magasin, trois vendeuses réunies
autour d'une caisse qui ne daignaient pas
lever la tête vers un couple de touristes qui
attendait que ces dames finissent d'échanger
leurs recettes de quenelles. Intimidés, les
acheteurs se regardaient, ne sachant trop
quoi faire. Compatissante et agacée, je décidai d'intervenir : « Excusez-moi, mesdames,
mais la marchandise est-elle à vendre dans ce
magasin ? » J'avais, je l'avoue, adopté le ton
agressif et hautain des Parisiens. Les trois
vendeuses sursautèrent en même temps. « Bien
sûr, madame, répondit, sur la défensive, l'une
d'entre elles. — Eh bien, ces messieurs dames
désirent être servis. — Vous êtes ensemble ?
demanda une autre. — Non dis-je. Alors de
quoi vous mêlez-vous ? » Puis, m'ignorant de
leur superbe, les employées poursuivirent
leur échange sur l'art d'émietter le brochet.
Quant au couple, il s'éloigna, l'air incrédule,
non sans avoir redéposé sur le comptoir la
marchandise convoitée.

Car, en France, l'objectif premier des vendeurs ne semble pas la vente mais l'affirmation d'un rapport de force avec l'acheteur.

Ce qui explique qu'à l'exception de chez Darty, le service après-vente, généralisé en Amérique du Nord où, dans un délai raisonnable, la marchandise est reprise sans justification de la part de l'acheteur, est quasi inexistant. Dans la mentalité française, le client est souvent traité comme un poisson à harponner et tant pis pour lui une fois qu'il a mordu. Une reprise de la marchandise devient donc un fait d'armes que seuls les acharnés, voire les menaçants, réussissent à négocier. Les consommateurs français se laissent maltraiter et exploiter en comparaison de ceux d'outre-Atlantique. Voudrait-on les punir d'acquérir des biens que l'on n'agirait pas autrement.

L'arrogance se vit à plusieurs niveaux. Des Parisiens aux provinciaux, des vieux aux jeunes, de la gauche à la droite et vice versa, des intellectuels aux parvenus, si bien que, quelle que soit sa place dans l'échelle sociale, on trouvera toujours une victime sur qui se défouler. N'est-ce pas cela, la justice immanente ?

La langue française en danger ? Bof !

« Ancien Webmaster de l'Élysée, son job consiste aujourd'hui à flairer les bonnes start-up qui finiront cotées en Bourse[1]. » Si vous croyez que ce titre a choqué les lecteurs du magazine, détrompez-vous. Vous, Français, tiquez plutôt devant les alarmistes, au demeurant sympathiques, qui se portent à la défense de la langue et de la culture. Comprenons que l'idée vous ennuie et la chose vous agace. Les livres sur le thème ne se vendent pas et les téléspectateurs zappent allégrement les émissions sur le sujet. Que l'on prononce devant vous le mot « francophonie » et vous bayez aux corneilles. Cette

---

1. Sous-titre d'un article paru dans *Le Point* du 19 mai 2000.

ambiguïté face à la situation de votre langue dans le monde s'explique sans doute par l'histoire et l'idéologie.

D'abord, nombreux êtes-vous à faire preuve d'incrédulité devant la menace annoncée. La France demeurera française jusqu'à la fin des temps et ça n'est pas l'ajout de *job, fun, business* dans le vocabulaire qui renversera la vapeur de ceux qui portent des *pulls*, font du *shopping* et stationnent au *parking* depuis des lunes. D'autres parmi vous vont plus loin en affirmant que, si la langue française ne s'adapte pas aux réalités technologiques, par exemple en créant son vocabulaire, qu'elle périsse. Ces derniers baragouinent désormais un franglais qui leur donne l'illusion de vivre intensément leur époque. Ils ont troqué l'universalisme pour la mondialisation qui risque de payer davantage. Ceux-là n'ont de cesse de dénigrer la France, ringarde culturellement et sous-développée institutionnellement. D'ailleurs, ils considèrent que leurs enfants pour lesquels ils rêvent d'un job high-tech ont peu d'avenir en France.

Il y a aussi les réalistes fatalistes qui situent au traité de Versailles la fin de l'hégémonie linguistique française. Dès qu'ils mettent les pieds en dehors de l'Hexagone, ils passent à l'anglais, un anglais plus ou moins approximatif, avant même de connaître la langue de l'interlocuteur. S'ils participent à des conférences internationales, ils oublient leur langue à la maison. Quand ils séjournent aux États-Unis, on les comprend, mais lorsqu'ils débarquent au Québec et se présentent au micro avec un texte en anglais, non seulement ils font preuve d'insensibilité en nous insultant mais ils se dénigrent eux-mêmes. Les scientifiques ne sont pas les seuls à agir de la sorte. Yves Montand a tenté un jour de roder son spectacle américain à Montréal en chantant en anglais, provoquant un chahut. Plus récemment, Charles Aznavour a récidivé non sans avoir été prévenu à l'avance des réactions possibles. Il s'est fait huer, est sorti de scène enragé. Il voulait rejoindre, expliqua-t-il, son public anglophone de Montréal. Or, l'immense majorité de ses admirateurs étaient francophones et la poignée d'anglophones présents venaient entendre Charles Aznavour, chanteur français.

Sans la vigilance et la passion de Louise Beaudoin, ministre québécoise des Affaires internationales, la décision inqualifiable d'Air-France d'obliger les pilotes français à s'adresser aux contrôleurs aériens de l'aéroport Charles de Gaulle en anglais serait peut-être un fait accompli. Sous la pression tenace de la ministre, qui a alerté l'opinion publique, Lionel Jospin en personne a contribué à renverser la décision. Comment Air-France est-elle parvenue à cette aberration soudaine que la sécurité des passagers était menacée par les échanges en français ? Faut-il préciser que les pilotes étrangers communiquent tous en anglais avec les contrôleurs ? En laissant entendre que parler français entre Français risque de mettre la vie en danger dans le ciel de France, une étape dans la dévalorisation croissante de la langue a été définitivement franchie. Qu'on se le dise : désormais le français tue.

La défense de la langue par législation ou réglementation telle qu'elle existe au Québec provoque en France des réactions diverses et plutôt négatives. D'abord, à gauche, c'est bien connu, on a longtemps qualifié le combat d'arrière-garde et de réactionnaire. Ses défenseurs, étiquetés immédiatement à droite, incarnaient aux yeux de la gauche une France frileuse, nostalgique, au relent colonialiste. Précisons que cet argument n'est pas totalement faux dans ce pays où le patriotisme exacerbé perdure à travers une droite certaine. François Mitterrand, qui ne s'en cachait guère, n'a jamais éprouvé d'engouement particulier pour le nationalisme québécois. Comme il a déjà été mentionné dans ce livre, la gauche française a préféré dans le passé appuyer des mouvements tiers-mondistes qui s'affirmaient révolutionnaires et dont il s'est révélé à l'usage que cette étiquette passe-partout recouvrait parfois un nationalisme sanguinaire et tyrannique. Ces révolutionnaires ne défendaient pas leur langue, ils arrachaient simplement celles de leurs ennemis.

Depuis quelques années, la gauche devient plus sensible à l'envahissement progressif de l'anglais dans le monde. Elle découvre la nécessité de la résistance culturelle sans craindre d'être taxée de droite. Elle comprend enfin que l'affirmation identitaire permet d'endiguer l'uniformisation annoncée des chantres de la mondialisation culturelle, les

Américains au premier chef, qui inondent la planète tout en fermant les vannes sur leur territoire au flux culturel étranger. Sauf exceptions, ils ne lisent que des auteurs anglo-saxons, n'écoutent que de la chanson anglaise, ne regardent que leur télévision et leur cinéma. Les films étrangers auxquels ils s'intéressent sont réécrits, transformés pour consommation américaine, ce qui leur assure cette fois une carrière mondiale. Ces réalités archi-connues n'empêchent pas certains Français de rêver à une conquête du marché américain en tournant en anglais, comme si la langue ne véhiculait pas une culture pro-pre. Or les Américains n'apprécient pas le dépaysement. Ils préfèrent leur France à celle des Français, leur Italie à celle des Italiens, leur Afrique à celle des Africains.

La gauche française commence à saisir que se battre pour la culture signifie se battre pour toutes les cultures et que cette diversité culturelle seule assure le progrès si cher à leurs cœurs. La défense de la langue, en obtenant ses lettres de noblesse à gauche, constitue une véritable transformation de sa culture. Cependant, qu'il me soit permis ici de relever un autre des paradoxes de la gauche.

Pourquoi a-t-elle éprouvé une telle réticence à réglementer un tant soit peu l'usage du français alors qu'elle favorise l'intervention étatique dans tous les secteurs de l'économie et qu'elle accepte les quotas pour faciliter l'accès des femmes en politique ?

La droite, elle, guère effarouchée par le patriotisme et les valeurs de l'État-nation, nostalgique aussi de la grandeur française disparue, y inclus le colonialisme, la droite donc s'était approprié, d'une certaine manière, la défense de la langue et de la culture. Elle n'a jamais eu de complexe à proclamer l'importance de ce combat et à appuyer les revendications des francophones. Le reproche que ces derniers peuvent formuler à l'égard de trop de gens de droite est de s'être comportés en propriétaires de cette langue et cette culture. Les Français oublient trop souvent qu'aux oreilles des francophones, c'est eux qui ont l'accent. Par exemple, la résistance de l'Académie française à assouplir ses règles sur l'usage correct du parler français et de son vocabulaire braque les francophones qu'il importe de distinguer des francophiles.

L'appellation francophone devrait être réservée, il me semble, à ceux qui ont le français comme langue maternelle ou langue d'usage, ceux qui en vivent, qui l'enrichissent, qui la bousculent, la transforment, l'innovent, l'inventent. Les gardiens de l'orthodoxie langagière que sont les Académiciens doivent comprendre, et les nominations des récentes années présagent une ouverture, que leur institution perdra son reste d'autorité en la matière si elle persiste à ignorer les parlers d'ailleurs. Un peu comme l'Église catholique a vu s'évaporer ses ouailles en s'emmurant face à la contraception et au divorce.

Il a fallu du courage à droite pour affronter les injures autour de certaines politiques linguistiques. Jacques Toubon, alors ministre de la Culture, s'est fait insulter, traiter de fasciste, quand il a introduit sa loi sur l'affichage commercial afin que le visage de Paris ne soit pas irrémédiablement défiguré. Même chose lorsqu'il s'est agi de fixer des quotas de chansons françaises quasi absentes des ondes, au point que ses amateurs allaient devoir se rendre au Québec pour entendre leurs chansons tourner à la radio (grâce aux quotas canadiens, précisons-le).

Sans l'apport de gens de droite, ces régle-
mentations, qu'appuie aujourd'hui une
grande partie de la majorité gouvernemen-
tale, n'auraient jamais vu le jour.

La droite détestable, c'est l'extrême droite
composée de têtes brûlées qui ont kidnappé
Jeanne d'Arc — la pauvre, elle méritait
mieux —, et sont prêtes à donner des
« french kiss » (péché mortel anti-hygiénique
dans mon éducation à l'eau bénite[1]) aux
francophones d'ailleurs à condition, on le
suppose, qu'ils soient plutôt blancs et chré-
tiens. Mais leur approche de la langue et de
la culture s'oppose à la nôtre. Car, c'est bien
connu, Jean-Marie Le Pen est un fervent
supporteur du Québec. Il adore, paraît-il, les
Québécois et les Québécoises qui, d'ailleurs,
ne le lui rendent pas du tout. Pourquoi,
cependant, notre politique linguistique, qui
recueille son assentiment, encore que je
doute qu'il la trouve assez virile, serait-elle
suspecte ou haïssable de ce seul fait ? Si Le
Pen aime le foie gras, le foie gras perd-il de

_____

1. D. Bombardier, *Une enfance à l'eau bénite*, Le Seuil,
1985.

ses qualités pour autant ? Et puisque Le Pen nous occupe ici, pourrais-je opiner que ses appuis populaires n'auraient jamais été aussi importants si la droite et surtout la gauche avaient reconnu comme véridiques certaines critiques émises par le personnage sur la société française en ébullition sociale.

La francophonie est aussi devenue une structure politique de plus en plus lourde au fil des ans. Parlons franc. Qu'est-ce donc que cette francophonie institutionnelle qui regroupe maintenant une majorité de pays où la langue française, si elle a jadis existé, a quasiment disparu ? Veut-on vraiment défendre la langue et la culture de langue française ? Si oui, que viennent faire ces pays non francophones dans l'organisme ? Chercher une tribune internationale supplémentaire ? De l'argent dont la plus grande partie s'engouffrera dans les caisses des dictateurs du moment ? Une caution pour leur régime ? Si ces pays veulent des livres en français, qu'on leur en donne, s'ils recherchent un pouvoir supplémentaire en installant leurs partisans dans des fonctions prestigieuses et rémunérées à Paris ou ailleurs, que ne se méfie-t-on ? S'ils désirent travailler à imposer le français chez eux là où il recule, ouvrons-leur les bras. Si la France y cherche une structure où elle pourra exercer un leadership perdu, que ça se sache. Si les pays souhaitent régler leurs vieux contentieux avec elle en s'alliant le Canada ou le Québec ou la Belgique, cela ne devient-il pas un détournement politique ? Pourquoi alors cette francophonie élargie ne comprendrait-elle pas l'Italie, l'Espagne, le Portugal et quelques pays sud-américains où les lettrés ont toujours parlé français dans le passé et continuent de le faire ?

Les intentions premières d'un regroupement francophone ne visaient-elles pas uniquement les pays où l'on parle le français et où l'on souhaite que cela perdure ? La structure actuelle détourne les populations concernées en prêtant le flanc aux critiques de ceux qui croient que l'argent public qu'on y engouffre devrait servir à des fins plus pédagogiques que celles d'organiser des sommets politico-mondains, fonds de commerce de l'industrie francophone.

La réalisation la plus spectaculaire de la francophonie demeure TV5. À travers la planète, il est possible d'entendre parler français à la télévision. Pour les francophones, sauf les Français, que guette la mentalité d'assiégés, cette porte ouverte est non seulement bénéfique mais consolante. A-t-on pensé que TV5 brise l'isolement des parlants français qui n'entendent souvent que l'anglais comme langue étrangère ? Mes compatriotes aiment avoir accès aux journaux télévisés de l'Europe francophone, autre façon, autre sensibilité, autre regard sur l'actualité. Bernard Pivot est un chouchou des Québécois qui ont l'avantage, eux, de capter son émission à une heure de grande écoute. Les trop rares programmes de l'Afrique suscitent l'intérêt et aident à briser les préjugés. Grâce à TV5, la France, pays phare de la francophonie, peut continuer d'exporter sa culture. Trop de Français ignorent cette réalité et préfèrent croire que la France doit faire cavalier seul sur le plan culturel, oubliant que le pays ne possède plus les moyens de ses ambitions historiques.

Ceux des Français qui semblent incapables de faire le deuil de leur grandeur passée pratiquent toujours une arrogance mal supportée par les francophones. Dans les rencontres

des organismes francophones de la radio et
de la télévision par exemple, nous les
voyons descendre à Montréal où ils séjournent douze heures, le temps d'assister à des
réunions d'où ils s'extraient, frénétiques,
pour téléphoner Dieu sait où, s'empressant
ensuite de rejoindre New York où, on le
suppose, les attendent les P-DG des grands
réseaux américains qui leur achètent la tota-
lité de leur programmation ! Ce comportement non seulement cavalier mais hautain
perpétue les préjugés anti-français des francophones lesquels ont des contentieux divers
avec eux. Cette indélicatesse devient parfois
de la pure provocation comme chez ce cadre
de la télé française qui a affirmé un jour que
je le recevais à ma table entourée d'amis
choisis qu'il mettrait son enfant à l'école
anglaise s'il habitait chez nous. « Vous êtes
en Amérique », essayait-il de nous faire comprendre à nous les bornés. Les Français de
cet acabit, encore trop nombreux hélas, font
le déshonneur de la culture française. Et ce
n'est pas, j'insiste là-dessus, parce que je suis
contre l'anglais que je parle depuis l'enfance
couramment, ce qui fait toujours l'étonne-
ment de mes amis français : « Tu parles le

français avec l'accent québécois et l'anglais avec celui de New York. » Comme si la défense d'une langue empêchait la pratique d'une autre, comme si l'accent dans une langue était rédhibitoire de sa correction.

Les Québécois, les plus combatifs de tous les francophones dès qu'il s'agit de défendre la langue, pourront-ils continuer à le faire si la majorité d'entre vous haussent les épaules mi-amusés, mi-agacés devant notre agitation ? A-t-on pensé que le recul du prestige de la France dans le monde auquel correspond la rétrogradation du français parlé est un recul pour toute la francophonie ? Lorsque mon voisin américain, riche, sympathique, mais inculte, me demande comment nous les « french » pouvons voyager avec des passeports rédigés en français seulement (ce qui est faux au Canada mais il l'ignore), je vis la dure réalité de la France devenue puissance moyenne. En d'autres termes, si en plus d'avoir perdu votre rôle de premier plan au niveau international, vous ne vous alarmez pas de voir les Libanais passer à l'anglais, les jeunes élites de l'Afrique francophone se diriger désormais vers les universités américaines qui leur ouvrent les bras et leurs bourses, la francophonie fera long feu. L'Algérie arabise sous les pressions que l'on sait, pendant qu'au Maroc et en Tunisie, l'anglais attire désormais les jeunes qui croient, à l'instar de nombreux jeunes Français, que la langue de communication, l'anglais, est également la langue de la modernisation. Plusieurs d'entre eux ont aussi été élevés par des parents qui leur ont communiqué un sentiment d'amour-haine pour la France avec comme conséquence une baisse de l'attrait pour cette dernière.

La loi du nombre est incontournable, a écrit le grand historien Arnold Toynbee. Le recul de la Grande-Bretagne n'a pas entraîné celui de sa langue puisque les États-Unis perpétuent l'hégémonie anglaise. Vous n'avez que le Québec, province et non pays, avec ses six millions de parlants français sans aucun poids sur le plan international pour assurer l'avant-garde de la lutte pour la survie du français. Vos anciennes colonies, pour des raisons diverses, établissent avec vous des relations difficiles, passionnelles, dont l'avenir reste incertain. Comment comprendre que vous soyez alors divisés entre vous sur la nécessité de vivre en état d'alerte linguistique et culturelle ? D'où vient cette négation de la « real politic », cette inconscience que seul explique un orgueil dominateur, celui-là même dont de Gaulle avait qualifié les Israéliens ? Et que penser de ceux qui, battant leur coulpe, ont perdu la fierté légitime d'être les descendants d'un peuple qui a contribué à faire avancer la civilisation occidentale et de qui l'on attend ce regard singulier que les anglophones appellent « french touch » ? Je le disais, je le répète : arrogance et autoflagellation vous caractérisent. Vous croyez être les meilleurs et, pour le rester, il vous faut brader votre langue. Que vous êtes décourageants !

La France que j'aime aimer

Attablée à une terrasse à Paris, un de ces après-midi de printemps où la terre entière souhaiterait être à ma place, je dresse l'oreille à la conversation qui se déroule entre des parents et leur fillette de six ou sept ans. Je comprends qu'un vieil oncle vient de décéder. « Qu'est-ce que c'est qu'un testament ? demande l'enfant à son père. — Un testament, ma chérie, c'est une façon pour celui qui meurt d'être poli avec ceux qui restent. » Voilà la France que j'aime. Cette manière élégante de décrire les choses triviales. Cette intelligence avec laquelle on s'adresse aux enfants en évitant de leur donner le sentiment que le discours adulte les exclut. Cette démystification aussi de l'argent transformé par les mots en une attitude morale.

Autre scène. J'emmène le fils d'une grande amie, Simon, treize ans, au cinéma. Il a insisté pour voir *Beaumarchais*. Durant le film, il réagit fortement à chaque fois que Louis XVI ouvre la bouche. « Imbécile, flemmard, balourd... » : le garçon ne manque pas de vocabulaire pour qualifier le pauvre monarque. En sortant, j'ai droit à un cours savant sur ce roi qu'il affectionne d'autant moins que, dans sa famille, l'on se situe plutôt à gauche. Ce qui m'impressionne dans la réaction de ce cher Simon, c'est cette familiarité avec l'Histoire de son pays. Il parle de Louis XVI comme d'un voisin infréquentable. Le personnage fait partie de son imaginaire. Il se l'approprie, l'inclut dans sa vie. Et s'il l'accable de la sorte, c'est pour mieux justifier peut-être le sort que le peuple lui a fait. Car Simon s'oppose à la peine de mort et, à treize ans, il éprouve le besoin de rationaliser sa propre contradiction. La France qu'incarne Simon, à savoir cette capacité d'indignation, ce besoin d'expliquer le pays à l'étranger, cette proximité de *son* roi même négative, cette facilité à voyager dans le temps historique, cette mémoire si présente qui définit son identité, c'est la France vivante, celle de la continuité à travers les ruptures. J'aime cette France.

La France que j'aime aimer. Je l'ai trouvée aussi dans un village haut perché du Sud-Ouest où j'ai assisté au mariage du fils d'amis toulousains. Dans ce village, j'ai participé, ébahie, à une fête à la française. Durant vingt-quatre heures, la centaine d'invités de tous âges, de tous milieux, a mangé, bu, dansé, pleuré, ri, chanté, sans relâche. À quatre heures du matin, nous étions encore à table sur une terrasse surplombant le pays des Cathares. Les fantômes de ces derniers rôdaient tout autour mais sans être parvenus de toute évidence à imposer leurs mœurs rigides à leurs descendants qui se délectaient de foie gras, de confits, de gigots à la broche, de cassoulets, de toutes ces nourritures régionales qui ont survécu, Dieu merci, à l'anorexie culinaire, cette nouvelle cuisine qui eut son heure de gloire parisienne. Les vins de Gaillac, blancs, rouges ou mousseux, ont aussi coulé toute la nuit, accentuant la drôlerie des drôles, la légèreté des légers, déliant les langues des introvertis (sur le nombre, on en trouvait quelques-uns), rapprochant les couples, en recomposant d'autres furtivement et provoquant sur les enfants, sur lesquels l'autorité s'était relâchée, un effet euphorisant comme s'ils avaient bu eux-mêmes (ce que les dix-douze ans faisaient en vidant les verres à moitié pleins). Cette douce folie ne prit fin que le dimanche après-midi lorsqu'il fallut lever le camp. Avec mes amis, j'ai fait le décompte des cadavres : 200 bouteilles de rouge, 100 de blanc, 100 de mousseux, 200 bouteilles d'eau et quelques tonneaux de bière. Personne n'était saoul, aucun scandale n'avait éclaté, le marié avait dansé avec toutes les femmes, la mariée avait passé la nuit dans les bras des hommes, des octogénaires aux garçonnets, et tous s'étaient donné rendez-vous pour le prochain mariage, la semaine suivante, dans un autre village. Normal puisque la vie est une fête. Cette France conviviale, bon enfant, gourmande, qui sait mettre entre parenthèses les âpretés de l'existence en se jouant momentanément des malheurs passés et à venir, cette France me charme. Les Anglo-Saxons n'ont pas su traduire dans leur langue cette façon d'être. Ils appellent cela simplement en français « joie de vivre ».

La France que j'aime, c'est celle qui se mobilise au nom d'un principe qu'elle croit sacré, celle qui rappelle au monde entier que le siècle des Lumières demeure un phare en dépit des typhons haineux du Liberia, de l'Algérie martyrisée et de la Somalie exsangue. C'est Bernard Kouchner, missionnaire humanitaire qui, tout en sachant les limites de son action, ne désespère pas de mettre en échec les vieux démons qui se terrent en chacun. C'est mon amie Annie, la cinquantaine rassurante, qui quitte ses enfants, son confort, prend congé des concerts et de l'opéra dont elle ne peut se passer, pour aller en tant qu'anesthésiste soigner des démembrés des guerres tribales dans ces contrées périlleuses où les « french doctors » n'attendent ni reconnaissance ni visibilité médiatique. « Pourquoi y retournes-tu ? lui ai-je demandé un jour. — Pourquoi ne pas y retourner alors que la terre entière les ignore ? » a-t-elle répondu. Ce sont aussi les intellectuels sincères, indifférents aux modes, obsédés à l'idée que la mémoire collective disparaisse dans l'indifférence et la distraction, ces maladies infantiles de notre village global McLuhannien et qui mettent leurs écrits au service de cette perpétuation. Cette France vibrante, en état d'alerte permanente, porteuse d'un humanisme qu'elle a contribué à définir, cette France nous est précieuse.

Dans la Vallée des Rois en Égypte, j'avais sympathisé avec la guide, une femme cultivée, éduquée à Alexandrie par des sœurs françaises. Nous parlions de la France, des déceptions qu'elle nous causait, de cette étourderie culturelle dans laquelle elle se laisse aspirer. « Vous savez, je ne reconnais plus la France à laquelle je dois tant. Lorsque les Anglais se sont installés dans mon pays, ils ont construit des clubs entourés de palissades où ils se retrouvaient entre eux. Quand les Français débarquèrent, la première chose qu'ils construisirent furent des écoles ouvertes à toute la population. » Cette France préoccupée de transmettre sa culture certes, mais aussi les connaissances universelles, seules clés du progrès, cette France existe-t-elle encore ? La valeur marchande est-elle en train de prendre le pas sur les valeurs du progrès humain ? Les Français peuvent-ils continuer de se croire les meilleurs alors qu'ils s'acharnent à trouver des vertus aux miroirs aux alouettes ? La France que j'aime, c'est celle qui résiste à vendre son âme aux charlatans qui lui donnent l'illusion que son avenir est dans le déracinement, l'enflure verbale et la dérision morale. Les francophones, dont je suis, ont le sentiment qu'à cet égard, en se battant contre la France, ils se portent à sa défense.

Dans la collection « Lettre ouverte »

IMPRESSION
IMPRIMERIE GAGNÉ

IMPRIMÉ AU CANADA